CW00421493

Marie Sizun

La gouvernante suédoise

Gallimard

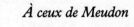

À ceux de Meudon

« Longtemps on se sent seul parmi les hommes, jusqu'à ce qu'un jour on débarque parmi ses propres morts. On éprouve alors leur présence discrète – ceux-là ne sont pas turbulents, mais constants… L'apport original de chacun à sa propre personnalité apparaît bien modeste au regard de l'héritage que nous lèguent les morts. Nombre de trépassés que je n'ai même jamais vus continuent à vivre en moi : ils s'agitent, ils travaillent, ils obéissent au désir et à la crainte. »

Sándor MÁRAI
Les Confessions d'un bourgeois, 1934

GÖTEBORG

1867-1868

Comment imaginer la rencontre de ces deux êtres que tout semblait si fortement opposer, Hulda Christiansson, la petite Suédoise de dix-sept ans, sans grâce, mais socialement fort bien établie, fille d'un banquier de Göteborg, et ce Français quadragénaire, gagne-petit – qu'est-ce qu'un professeur de français, peut-être dépourvu de toute qualification, dans une ville de province suédoise à la fin du XIXe siècle ? –, Léonard Sèze-neau, arrivé de fraîche date en Suède avec son épouse. Car, de surcroît, il est marié, depuis quinze ans, avec une Anglaise, Sarah S., du même âge que lui, et c'est avec elle qu'il vient de s'installer à Göteborg, dit le registre.

Qui est-il donc ce voyageur, né en 1828 dans une très petite ville de la Mayenne, B..., ce protestant, né d'une vieille famille protestante, d'un père demi-hobereau, demi-fermier : *gentleman farmer*, disait avec indulgence tante Alice, mais sans doute plus fermier que gentilhomme, qui vivait au château de L... pour avoir épousé la fille

du maître de maison (mariage forcé si l'on considère la date de naissance de Léonard et la longue
opposition, précisée sur l'acte administratif, du
père de la jeune fille). Pourquoi, à vingt et un ans,
ce départ de Léonard pour l'Angleterre, avec un
frère d'un an son cadet ? Ce mariage de l'un et
l'autre avec deux sœurs, Sarah et Emily ? Et pourquoi, des années après, ce nouveau départ, cette
fois pour la Suède, où il débarque avec sa femme,
à Göteborg, pour la renvoyer deux ans plus tard
en Angleterre et, le divorce tout juste prononcé,
épouser la très jeune Hulda ?

Je pense au Léonard d'à peine quarante ans
que montre la photo, profil de gandin, et petit air
de fatuité. Il semble capable de tout.

Néanmoins, une rencontre avec une jeune
héritière semblait exclue.

D'abord il aura fallu ce hasard extraordinaire
– le registre de recensement de la commune me
l'a fait découvrir – qui amène Sèzeneau et sa
femme, ces étrangers, à venir s'installer dans la
Pusterviksgatan, quartier élégant de Göteborg,
et, sans connaître le moins du monde les
Christiansson, dans l'immeuble même qu'ils
habitent et dont ils sont propriétaires. Mais le
banquier, sa femme et leurs enfants occupent
un grand et luxueux appartement au premier
étage, tandis que le professeur de français et son
épouse louent un modeste logement au quatrième.

Léonard a-t-il croisé la jeune fille dans l'escalier, ou dans le hall, ce grand hall voûté qui ouvre
sur la rue par une immense porte cochère ? Outre
le respect de convenances bourgeoises et puri-
taines qui aurait pu lui interdire, à lui, homme
marié, de s'intéresser à une jeune fille, l'aurait-il
seulement remarquée ? L'image que nous avons
d'elle à cette époque n'a rien de séduisant tant

17

elle paraît insignifiante ; la petite semble d'ailleurs avoir été de nature à plutôt fuir les regards. Nul doute que, si elle a un jour croisé le Français, ce devait être les yeux baissés, la mine un peu effrayée, et cela très rapidement – j'imagine la scène – dans le vacarme de la porte cochère soudain ouverte pour laisser le passage à une calèche ou une voiture de livraison, devant laquelle l'un et l'autre s'effacent. Et tandis que s'engouffre dans l'immeuble le bruit de la rue, il n'y aura eu entre eux que le regard d'un instant, distrait chez lui, étonné chez elle. Qui est cet homme ? Est-ce le locataire dont on lui a parlé, arrivé depuis deux ans avec sa femme, ce Français qui, dit-on, donne des leçons ? Elle ne l'avait jamais vu : elle n'est sortie du pensionnat que depuis un mois. Peut-être l'oublie-t-elle aussitôt. Peut-être pas.

Si le nom de Léonard est arrivé aux oreilles de la jeune fille, c'est que, dans cette maison de quatre étages, tout se sait. D'ailleurs, comme il cherche à donner des leçons partout où il le peut, il a fait en sorte qu'on l'apprenne aussi dans l'immeuble. Sans résultat pour le moment. Des élèves, en ville, il n'en a pas beaucoup, mais ce sont des recrues de choix, des enfants de bonne famille, des jeunes filles, quelques dames de la bonne société. Comment les a-t-il trouvées ? Je ne peux me représenter Léonard qu'astucieux, entreprenant, adroit, charmeur. Et puis, en Suède, à cette époque, depuis Bernadotte devenu le roi Jean et son fils Oscar, la France a bonne presse. Être français, c'est un atout. Dans les salons bourgeois, on parle littérature française, peinture française, on lit Zola, Flaubert, Maupassant, on découvre l'impressionnisme. Quand on en a les moyens, on court à Paris voir des expositions, écouter des conférences, acheter des robes.

Léonard a finalement l'idée de se présenter à l'hôtel de ville de Göteborg et de proposer ses compétences au bourgmestre : il se fait fort de donner des conférences, en français, sur la littérature française, la poésie et le roman contemporains. Dans cette ville commerçante où les aspirations culturelles ne trouvent guère où s'assouvir, cela peut intéresser certains. Le projet est retenu.

Il commencera par une conférence sur Baudelaire, dont le recueil des *Fleurs du mal* a fait scandale à Paris mais éblouit le monde culturel européen. Il en envisage une deuxième où, cette fois, il parlera de Flaubert et de *Madame Bovary*, autre sujet de scandale.

L'hôtel de ville se charge de la communication. Les conférences sont annoncées dans le *Göteborg-Dagsbladet*. La causerie sur Baudelaire est un succès. Une rumeur très favorable se propage rapidement. On parle du conférencier français dans l'entourage de Mme Christiansson. Mais, ce Monsieur Sèzeneau, ne serait-ce pas notre voisin ? Comme c'est amusant ! Sigrid Christiansson lit beaucoup, parle très bien français, sa fille moins, malgré les cours des dames du pensionnat. Pourquoi n'emmènerait-elle pas Hulda entendre la prochaine conférence? Cela lui permettrait d'améliorer sa connaissance de la langue; d'ailleurs – les personnes qui ont assisté à la première causerie l'affirment –, la diction du conférencier est parfaite, on le comprend très bien.

Un instant, pourtant, Mme Christiansson hésite : elle croit savoir que le roman de Flaubert est audacieux, qu'il y a eu procès : est-il bien convenable de le faire connaître à une jeune fille? Mais son amie Mme Lorjund, la femme du chirurgien, la rassure : elle a assisté à la première conférence, d'après elle, monsieur Sèzeneau est très délicat : pour parler des poèmes de Baudelaire, il a évité d'évoquer en termes trop crus ce qui pouvait choquer et il sera certainement parfait à propos de *Madame Bovary*.

En épouse respectueuse, Sigrid consulte néanmoins son mari… Lui, qui, en dépit de son puritanisme, se veut ouvert à ce qu'il appelle «la modernité», trouve l'idée de sa femme excellente et donne son accord. Ces dames iront donc entendre parler de *Madame Bovary*.

Pour l'occasion, ce jour-là, on a fait mettre à Hulda une robe de taffetas gris clair, petits boutons noirs tout le long du corsage, col blanc, manches longues. On lui a permis de relever ses cheveux sous un petit chapeau noir à voilette.

Il n'y a pas vraiment foule dans le grand salon à rideaux rouges du bourgmestre quand la mère et la fille arrivent : une vingtaine de personnes peut-être, assises en demi-cercle sur deux rangs, devant une table recouverte d'un tapis gris sur laquelle on a disposé une carafe et un verre. Il va être dix-huit heures. On est en août. Le soleil de fin d'après-midi illumine encore les hautes fenêtres. Babil et sourires de femmes entre elles, jupes festonnées largement étalées autour de leurs chaises en taches claires, parmi lesquelles se détachent les silhouettes sombres de deux ou trois messieurs un peu raides, presque insolites dans cet environnement féminin.

La jeune fille, assise au premier rang à côté de sa mère, et peu habituée à sortir, se fait toute petite. Le conférencier entre, et, aussitôt, elle reconnaît l'homme croisé brièvement chez elle, dans le hall d'entrée. Cette minceur, ce regard vif, cette façon de se tenir très droit, élégant dans sa jaquette noire, l'air décidé et tellement sûr de soi... Dès les premiers mots il conquiert son auditoire : il a le verbe net, précis, presque cassant, avec parfois une inflexion caressante qui force l'attention, retient, fascine. Elle ne comprend pas tout ce qui est dit, mais des mots la frappent, des phrases, un passage entier... Ah ! comme il parle bien de l'ennui de cette Emma dans la ferme de son père, de son souvenir du couvent, de son amour des romans !

Le conférencier s'exprime sans notes, avec enthousiasme, et une grande facilité. Son regard parcourt en même temps l'assistance, s'arrête à un visage, repart, s'attache un instant à un autre, en sorte qu'il semble s'adresser tour à tour à chacun, ou plutôt à chacune. Quand c'est au tour de Hulda de fixer brièvement son attention, elle se trouble, se sent rougir : est-ce vraiment elle qu'il regarde ? Elle qu'il a vue ? Est-ce pour elle que sa parole à ce moment précis s'est faite si douce ?

Elle perd le fil, ne sait plus où l'on en est. Jette un coup d'œil de côté à sa mère qui, souriante, semble boire les paroles du conférencier. Alors elle essaie désespérément de comprendre de quoi, à présent, il peut être question, mais, outre qu'elle entend très mal la langue, le sujet véritable lui échappe, et même l'intrigue – elle est si innocente –, d'autant qu'on parle, lui semble-t-il, par sous-entendus. Les femmes, autour de la jeune fille, derrière elle, passionnées, semblent, elles, tout saisir. Hulda se contente d'un mot, d'un nom : « Rodolphe », de l'image de deux cavaliers galopant à travers une forêt, de l'évocation de la lumière d'un sous-bois... Elle rêve, cela lui suffit. Elle voudrait que cela ne s'arrête pas, pouvoir rester encore longtemps à écouter cette voix, regarder ce curieux homme... Quel âge a-t-il ? Il n'est ni vieux ni jeune. Il ne ressemble à aucun des messieurs graves que fréquentent les Christiansson, ni à aucun des jeunes gens qui sont leurs fils et qu'elle trouve si niais.

Quand soudain les applaudissements éclatent, elle comprend que la conférence est terminée, que c'est fini... Elle frissonne, désagréablement surprise.

« Eh bien, ma chérie, lui demande sa mère dans le brouhaha des derniers applaudissements, des exclamations, et d'un grand remuement de chaises, ça t'a intéressée ? » La petite acquiesce sans mot dire.

Les dames qui se sont levées entourent la table du conférencier pour le féliciter. Une femme, cependant, est restée assise, l'air modeste, comme attendant. Hulda la trouve bizarre.

« C'est son épouse, souffle Mme Christiansson. Je crois l'avoir croisée dans l'immeuble. Il paraît qu'elle est anglaise. Mais je ne la connais guère, nous n'avons pas été présentées. Allons, viens, il nous faut saluer monsieur Sèzeneau ! »

Sa femme ? pense Hulda qui ne parvient pas à détacher son regard de la dame en mauve, assise seule au dernier rang. Sa femme ? Cette personne tellement quelconque, et si vieille, sous son drôle de chapeau ? La mode anglaise, sans doute !

Mme Christiansson s'impatiente : pourquoi sa fille ne vient-elle pas ? Et puis on ne dévisage pas les gens de cette façon, à quoi pense-t-elle ? La petite suit sa mère à regret. Saluer l'orateur, elle n'en a pas envie, elle est bien trop timide. Elle aurait préféré s'enfuir discrètement, disparaître, ne pas avoir à affronter de près le regard de cet homme, ne pas avoir, surtout, à lui parler. Sigrid Christiansson le fait si bien, sa petite personne doucement replète frétillant déjà des mots de remerciement émus qu'elle s'apprête à prononcer... Voilà, c'est fait, et avec quel naturel ! Pendant ce temps, Hulda se tait, attend, regarde ses pieds, un sourire figé aux lèvres. Elle a perçu le coup d'œil distrait, indifférent, que le héros du jour a jeté sur elle, pas du tout le même regard que, tout à l'heure, lorsqu'il parlait, il lui adressait par moments. Là, il ne la voit pas. Il ne la voit plus. Il a raison. Il n'y a rien à voir. Elle n'est rien.

La mère et la fille rentrent chez elles. Dans la voiture qu'elles ont arrêtée, Mme Christiansson ne tarit pas d'éloges sur le conférencier, son talent, son aisance, son affabilité... Il lui vient une idée : «Et si ce monsieur voulait bien participer à l'une de nos soirées ? Il accepterait peut-être de dire pour nos amis quelques mots du roman de

Flaubert ! Tout le monde serait enchanté. Qu'en penses-tu ? »

Sa fille, rencognée contre la vitre, acquiesce silencieusement. Oui, songe-t-elle, ce serait bien de l'entendre encore, de retrouver le charme de cette voix, et, peut-être, le bonheur d'un regard posé sur elle. Mais, alors, pourquoi cet effroi secret, cette peur obscure ?

« Je vais en parler à ton père, poursuit Sigrid Christiansson, ravie de son projet. Je suis sûre qu'il sera d'accord : tu le connais, il aime tellement tout ce qui est français ! »

Hulda regarde sans le voir le paysage familier qui défile à sa droite, le quai à présent brumeux, les réverbères qu'on allume, parce que, déjà, le soir tombe. Elle entend à peine le trot égal des chevaux. Elle rêve.

Un jour, elle se rappellera pourtant avec exactitude ce moment précis.

C'est l'habitude chez les Christiansson de recevoir ainsi, deux ou trois fois par semaine, après le dîner, des parents, des amis, des relations de travail du banquier. Quelqu'un se met au piano, une des dames de la société chante. Ou bien on lit des poèmes ; des fragments de roman. Quelquefois un écrivain est invité ; ou un acteur. Il arrive aussi qu'on joue des charades. Les distractions ne sont pas si nombreuses à Göteborg, on n'est pas à Stockholm, hélas, et ces soirées privées sont les bienvenues.

Léonard Sèzeneau a accepté de venir «en voisin», sans protocole, a précisé Mme Christiansson : «Nous serons si heureux de vous faire connaître à notre petit cercle ! Tout le monde a entendu parler de vos conférences et chacun se réjouit tellement de vous rencontrer !» Il est entendu qu'il ne s'agira pas d'une conférence formelle, mais d'une conversation entre amis, si le «jeune professeur» veut bien dire quelques mots... Mme Christiansson n'est pas beaucoup plus âgée que lui, mais, en tant que respectable mère de trois enfants, elle a la coquetterie de se vieillir en rajeunissant son interlocuteur. « Et votre épouse, bien sûr, sera des nôtres, si elle veut bien se joindre à nous, ajoute-t-elle avec amabilité, nous serons enchantés de faire sa connaissance. »

Il est convenu que Hulda, chaque fois qu'il y a une soirée chez ses parents, depuis qu'elle est sortie du pensionnat, doive jouer son rôle de jeune fille de la maison, s'empresser auprès des invités, et aider les bonnes à servir les rafraîchissements.

C'est encore l'été, et la journée avait été particulièrement éclatante en cette mi-septembre. On a baissé les stores devant les grandes portes-fenêtres du salon tant le soleil couchant insiste à se glisser sur le parquet blond, jouer dans les reflets des miroirs. Mais des candélabres sont déjà allumés ici et là en prévision de la soirée. Les petites chaises gustaviennes et les fauteuils ont été placés en cercle un peu comme chez le bourg-mestre, pourtant ici tout est différent. Peut-être à cause de cette lumière particulière, ou du parfum des fleurs déposées sur les crédences, du charme des vieux meubles laqués blancs à dorure, de la douceur des tentures d'un gris clair légèrement bleuté, de la gravité souriante des portraits de famille : il y a là toute une intimité, une élégance simple et chaleureuse.

Ce soir, ce n'est plus dans un cercle littéraire anonyme, mais dans une famille que pénètre

Léonard : en a-t-il conscience lorsque, se présentant un peu avant l'arrivée des autres invités, et reçu très amicalement par le banquier et sa femme, il les prie avec embarras d'excuser l'absence de son épouse : depuis quelque temps, elle est très fatiguée et, aujourd'hui, à son grand regret, elle est souffrante et ne viendra pas. Mme Christiansson s'en dit désolée, elle aurait été si heureuse de faire sa connaissance... Sans doute une autre fois ?

Ainsi on ne verra pas l'étrange femme du conférencier, sa robe mauve, son regard effrayé, son curieux chapeau : Hulda, qui depuis le corridor a involontairement entendu, en est inexplicablement soulagée. Elle a remis ce soir sa robe de taffetas gris à petit col blanc, sans la jaquette ni le chapeau, et ses cheveux blonds relevés et libérés moussent joliment autour de son front.

Les invités arrivent ; on s'empresse autour du maître et de la maîtresse de maison, on présente Léonard. Ici, à la différence de la soirée chez le bourgmestre, il y a autant d'hommes que de femmes, et, très vite, les messieurs en frac noir se groupent autour de la cheminée tandis que les dames s'installent sur les petites chaises. Bientôt, il monte du salon une rumeur très douce de conversations mêlées, où percent ici et là le rire d'une femme, l'exclamation d'un homme.

« Eh bien, ma chérie, tu rêves ! vient murmurer Sigrid Christiansson à sa fille, qui, debout à la porte du salon, semble en effet perdue dans on ne sait quel songe, tu oublies nos invités ? »

La petite court vite à l'office, revient avec la bonne qui pousse devant elle un chariot de boissons. En passant, elle s'aperçoit dans la haute glace du corridor, et, pour la première fois, se trouve jolie. Elle se décide à entrer.

Le professeur de français est là, debout devant la cheminée, avec quelques hommes entourant le banquier. Elle le voit de loin, il a le dos tourné, mais elle l'a bien reconnu.

Comme elle se faufile parmi les invités avec un plateau chargé de verres, son père l'appelle et l'attire à lui avec ce geste de familiarité qu'elle lui connaît, tendre et possessif, fierté de montrer sa fille, plaisir de disposer d'elle comme d'une enfant : « Ma fille, Hulda, dit-il simplement au Français. Puis, à elle :

— Tu connais, je crois, le professeur Sèzeneau ? »

Léonard s'incline. La regarde. Et elle ne sait que faire de ce léger plateau dont les verres vont glisser si elle n'y prend garde... Mais, cette fois, il l'a vue, leurs regards se sont croisés un long instant, et elle a eu l'impression qu'en un regard il savait tout d'elle.

« Une enfant, poursuit son père. Elle a fait un peu de français au pensionnat, mais sa pratique de la langue ne lui permet guère encore de converser. »

Le conférencier sourit sans mot dire, le regard toujours fixé sur la jeune fille. Alors elle murmure très vite quelque formule de politesse en suédois et s'éclipse avec son providentiel plateau.

Au cours de la soirée – où finalement Léonard, entouré et très à l'aise, parlera fort peu de *Madame Bovary* –, Hulda se fait discrète. Elle va, vient, écoute un peu, regarde beaucoup.

Mais le lendemain, elle déclare à son père qu'elle voudrait bien prendre des leçons de français avec ce monsieur Sèzeneau, qui est, dit-on, si bon professeur.

Le banquier ne refuse rien à sa fille, qu'il adore – qu'il préfère secrètement aux deux garçons ; c'est un homme sévère, mais généreux et, jusqu'à présent, il n'a eu qu'à se féliciter de cette enfant. Le principe des leçons est accepté, à condition toutefois que le frère cadet de Hulda, Anders, âgé de treize ans, en bénéficie en même temps qu'elle, si le professeur en est d'accord.

Mais oui, Léonard Sèzeneau accepte avec plaisir de se rendre chez ses voisins quelques heures par semaine. On trouve un horaire qui convienne à chacun : Anders est encore écolier, Hulda se rend à des cours de piano, le professeur lui-même est très demandé.

Les leçons de français ont lieu dans la bibliothèque, une petite pièce à l'atmosphère feutrée, tendue de rouge, tapissée de livres, et percée d'une unique et haute fenêtre donnant sur le canal. Sur la cheminée, le buste de Schiller. Au sol, un épais tapis étouffe le bruit des pas. Le maître s'installera derrière le bureau de chêne placé devant la fenêtre, ses deux élèves assis sur des chaises face à lui.

La première fois, Hulda, sur le conseil de sa mère, a remis sa robe de pensionnaire en taffetas écossais gris et blanc et repris sa coiffure sage, la résille aux rubans noirs emprisonnant ses cheveux blonds.

Anders est un gentil garçon blond, un peu mou, que la perspective de suivre un cours en compagnie de sa sœur aînée enchante : il l'aime beaucoup mais la jalouse un peu, et pense pouvoir l'éclipser en français, matière qu'il étudie au lycée avec de très bons professeurs, meilleurs que ceux qu'elle aura pu avoir dans son pensionnat pour jeunes filles.

La leçon de Léonard Sèzeneau se présente comme une conversation : le professeur pose une question de sa belle voix claire et ferme, cette voix que la jeune fille aime tant. Répond qui veut, ou qui peut. Au début, c'est surtout Anders qui s'affirme, nullement intimidé, séduit par ce professeur élégant, plus jeune que la plupart de ses maîtres. Lorsque la jeune fille se décide, Léonard la félicite, lui fait compliment de son accent : nul doute qu'elle parlera bientôt comme une Française. Elle rougit de plaisir et ose lui rendre le regard un peu vif qu'il lui a adressé.

D'ordinaire, c'est la gouvernante – une personne grisonnante, assise discrètement au fond avec un ouvrage de broderie – qui assiste à la leçon. Ou, plus rarement, Mme Christiansson elle-même, présence muette et bienveillante, curieuse des progrès de ses enfants. Elle est ravie : c'était une excellente idée, ces leçons de français, pour Hulda en particulier, si maladivement timide, confie-t-elle au professeur à la fin du cours. Ne trouve-t-il pas qu'elle commence à sortir de sa réserve ?

Et c'est vrai : la jeune fille a depuis quelque temps quitté l'expression d'ennui maussade qui était la sienne depuis son retour du pensionnat. Chacun autour d'elle l'a remarqué.

Pendant les leçons, c'est tout un jeu de regards silencieux qui se met en place entre la jeune élève et son maître, et qu'elle interprète à sa façon, convaincue que, de la part du professeur, il y a plus qu'une simple attention pédagogique. Et plus que de la sympathie dans la poignée de mains qu'ils échangent après le cours. Se trompe-t-elle, ou faut-il voir de la part de Léonard séduction délibérée ? En tout cas, il y a chez la jeune fille une ardeur qu'il a vite sentie et qui, à coup sûr, le trouble.

Anders, lui, d'abord si enthousiaste, semble vite se lasser de l'étude du français. Moins zélé, silencieux, agacé par les progrès de sa sœur, il se fait moins assidu : il lui arrive sous des prétextes divers de manquer la leçon. Hulda et son professeur se retrouvent seuls, et la conversation prend alors entre eux un tour presque personnel, d'autant que la gouvernante-chaperon n'entend pas le français.

Il suffira d'un rien, un hasard, pour que la relation entre maître et élève change de nature.

Nous sommes en octobre et, à ce moment de l'année, en Suède, la nuit tombe vite. Depuis un moment, une sorte de brume descendue de la fenêtre a commencé d'envahir la pièce. Léonard rend à son élève un devoir corrigé et le commente, debout à côté d'elle.

« Mais on ne voit plus rien... » dit Hulda.

La gouvernante sort chercher de la lumière.

Quand, quelques minutes plus tard, elle revient avec la lampe allumée, Léonard aura embrassé la jeune fille : est-ce lui qui en a pris hardiment l'initiative, ou y a-t-il eu de sa part à elle un mouvement inconsidéré qui a brusqué les choses ?

Mais, de ce baiser qui les a bouleversés, qui irradie encore dans tout leur être, la vieille dame, à la lumière dorée de la lampe qu'elle dépose entre eux sur la petite table, ne soupçonnera rien, ne verra rien, aveugle au mystère en train de naître.

Aux quelques soirées où Léonard Sèzeneau sera
convié chez les Christiansson, sa femme n'apparaît toujours pas. Elle est, paraît-il, de santé délicate ; elle aurait les nerfs malades, précise avec
gêne son mari, et son état semble s'aggraver. On
ne la voit plus jamais en ville, si ce n'est, parfois, le
dimanche, à l'office du temple de la rue S... que
fréquentent aussi les Christiansson : mais le Français et sa femme s'asseyent au fond et en retrait,
visiblement désireux de garder leurs distances. À
Mme Christiansson, qui s'en étonnait, il a confié
que l'extrême réserve de son épouse viendrait en
partie du fait qu'elle est anglaise et parle très mal
suédois ; ce qui, s'ajoutant à son état neurasthé-
nique, achève de l'isoler. La femme du banquier a
compati, les yeux un peu ronds, avec sa gentillesse
coutumière.

Un jour, Hulda, descendant gaiement l'escalier, a croisé la dame anglaise qui regagnait son
logement : elles se sont saluées gauchement,
n'ayant jamais été présentées l'une à l'autre ; et,

dans la simple inclination de tête de cette femme, dans le regard qu'elle lui a jeté, la jeune fille a cru lire quelque chose de bizarre, une sorte de peur mêlée de curiosité. Très pâle, mal coiffée, mal habillée, elle avait la même expression craintive que le jour de la conférence de son mari chez le bourgmestre, mais, cette fois, elle avait semblé tout à fait effrayée en voyant Hulda. Elle l'avait dévisagée un instant, puis, la démarche raide, avait poursuivi sa montée de l'escalier.

On n'eut plus l'occasion de la revoir.

Léonard annonce un jour aux Christiansson, de la façon la plus naturelle, que sa femme a dû regagner l'Angleterre, où elle était, paraît-il, soignée pour une maladie nerveuse depuis des années, dès avant leur départ pour la Suède, par un spécialiste réputé. Baissant la voix, il précise qu'elle ne reviendra pas. Il n'en dit pas plus.

Il y a un silence.

Mais, s'inquiète enfin Mme Christiansson, toujours pleine de sollicitude, ne devra-t-il pas rejoindre sa femme ? Non, répond un peu sèchement le professeur, pour le moment il n'en est pas question. D'ailleurs, ajoute-t-il, après une hésitation et sur le ton de la confidence, nous envisageons depuis longtemps une séparation. Je veux dire un divorce.

Silence, cette fois, de la femme du banquier, embarrassée, et qui se demande s'il convient d'adresser à l'abandonné quelques paroles en manière de condoléances. Mais Léonard Sèzeneau s'est déjà repris, et c'est d'une voix presque gaie qu'il affirme que le travail est un excellent dérivatif : il est heureusement très pris par sa carrière : sa renommée s'étend ; outre les nombreux cours privés qu'il assume, il donne à présent des conférences dans diverses petites villes des environs. Il a même le projet d'organiser des voyages culturels pour faire connaître la littérature française. Ainsi, dans un mois, il emmène un groupe de ses étudiants à Copenhague, où l'on va jouer *Phèdre* en français au théâtre Royal. Cela n'intéresserait-il pas Hulda et Anders ?

Sigrid Christiansson n'en doute pas : mais elle doit en parler à son mari. Elle-même est tout acquise au projet, surtout quand elle apprend que le fils et la fille de leurs amis Johnson sont de la partie, ainsi que la fille du médecin militaire, le général Lundqvist. Ce sont là des garanties supplémentaires, s'il en fallait. D'ailleurs, la réputation de sérieux du professeur Sèzeneau est maintenant bien établie, elle n'en doute pas. Il a tout parfaitement organisé avec les Johnson, voyage et séjour dans un bon hôtel de Copenhague.

Le voyage, placé autour d'un jour férié, durerait trois jours, comprenant la traversée d'Helsingfors à Helsingborg, aller et retour. Consultés, Anders et Hulda sont enthousiastes. Pourvu que leur père dise oui ! Mr Christiansson, toujours un peu solennel et sourcilleux, réserve sa réponse, mais finit par donner son accord : assister à la représentation de *Phèdre* en français, n'est-ce pas le couronnement de l'étude de cette langue pour ses enfants ?

Au retour de l'expédition, on s'entendra à trouver Hulda métamorphosée : c'est étonnant comme ce voyage lui a réussi ! Elle s'est départie de cette timidité, de cette gaucherie qui la desservaient tant. Et puis, elle a l'air tellement plus gaie ! C'est à présent une charmante jeune fille. Et, quand on lui en fait compliment, elle a pour toute réponse un sourire délicieux.

Ses parents sont enchantés.

Comme l'histoire, ici, se précipite !

Hulda a-t-elle osé, elle, la jeune fille sage, se glisser parfois dans l'appartement abandonné par la malheureuse Anglaise ? De quelle façon les amants se sont-ils retrouvés, en quels lieux ? Personne n'a rien vu. Toujours est-il qu'au printemps 1868 le scandale éclate, soit qu'ils aient été surpris, soit que la petite ait parlé à sa mère : elle est enceinte. Un coup de tonnerre pour la famille du banquier. Sigrid Christiansson pleure beaucoup, son mari tonne, fulmine, se désole. Comment aurait-on pu prévoir une telle inconduite de la part d'une enfant si sérieuse, si pure ? Sa fille chérie, le trahir pareillement !

Mais la scène se déroule à huis clos, dans le secret de l'appartement, à l'abri des portes épaisses et des lourdes tentures ; que surtout rien ne transpire de la faute, tant est grande l'horreur du péché chez ces protestants sincères et la peur du scandale chez ces bourgeois épris d'ordre ! Et qui est le séducteur, l'odieux suborneur ? Christiansson, hors de lui, veut savoir. Il arrache des aveux complets à sa fille. Elle est, dès lors, reléguée dans sa chambre sous prétexte de langueur, d'anémie. Toute visite est interdite. On espère encore qu'un heureux accident mettra un terme à l'affaire.

Bien entendu, le professeur de français est limogé sur-le-champ et prié de quitter sans délai l'appartement de la Pusterviksgatan. Il a néanmoins osé articuler, lui qui n'est pas même encore officiellement divorcé, une demande en mariage de sa fille au père en fureur. On peut imaginer la manière dont elle est reçue.

Léonard quitte le bel immeuble du banquier pour un modeste et sombre logement, dans le nord de la ville, où il va vivre sans doute des moments difficiles. Si monsieur Christiansson n'a pas voulu faire d'esclandre public – effrayé d'un scandale qui, salissant la réputation de sa fille, entacherait son honneur personnel –, il a néanmoins subtilement mis en doute auprès de ses amis les talents pédagogiques du professeur Sèzeneau, et lui a fait perdre nombre de leçons.

Je ne sais pas comment Hulda a vécu ces mois de séquestration. Mais, ce qui est extraordinaire, c'est la détermination de cette jeune fille qui, en juillet, brave la colère de son père et exige de rejoindre Léonard sous peine de se tuer. Qui pouvait s'attendre à une telle audace de la part de la jeune fille rangée qu'elle avait été, de la vierge falote de la pension Postilled ? Il est vrai qu'elle se souviendra toujours de l'appui que sa mère aura été pour elle tout au long de ce drame, elle pourtant si étroitement soumise à l'autorité de son mari et qui, pour une fois, a su se rebeller pour défendre sa fille.

De quoi a bien pu vivre alors le nouveau ménage ? Du peu de leçons que la rumeur du scandale laissait à Léonard ? Du maigre revenu de quelques conférences dans les villes que n'avaient pas encore touchées les bruits fâcheux ? Ou de l'argent que la tendre Sigrid Christiansson donnait à sa fille à l'insu de son époux ?

Un petit Isidore naît en novembre 1868, enregistré à la paroisse de Domkirke, la cathédrale, avec la mention qu'une attestation de mariage était en cours d'attribution. En attendant, sans doute, celle du divorce anglais.

Comment la jeune femme se débrouille-t-elle de ces nouvelles conditions de vie, elle, l'enfant gâtée, entourée jusque-là de tous les soins, qui doit vivre maintenant dans ce quartier populaire de V..., s'accommoder d'un logement bruyant et sans grâce, en butte à toutes les difficultés matérielles, aux tâches quotidiennes, chargée du soin d'un petit enfant, et d'un mari certainement exigeant ?

Je pense que c'est de ce temps-là, le temps de l'appartement de V... que date cette photo si triste, si disgraciée de Hulda ; nullement triomphante, cette fois, mais l'air humble, la mine fatiguée, les cheveux séparés par une raie au milieu et tirés vers l'arrière en un chignon ingrat, vêtue d'un casaquin boutonné sur un corps encore déformé par la grossesse. On est loin de l'image de la jeune fille bourgeoise qu'elle avait été ! C'est la photographie de la honte, de la réprobation et, sans doute, de l'angoisse : on y lit l'étonnement triste d'une enfant trop tôt entrée dans l'âge adulte et la plus grande incertitude de ce que pourra être l'avenir.

Mais les choses n'en resteront pas là. Le frère aîné de Hulda, Charles, qui fait ses études à Uppsala, informé de ce qui se passe à Göteborg, se rend sur place sur les instances de sa mère, intercède pour sa sœur qu'il a toujours beaucoup aimée. L'annonce de la naissance du bébé bouleverse tout le monde. Sigrid Christiansson supplie son mari, qui se laisse fléchir : on reçoit les coupables. Léonard se fait humble, et convaincant. La nouvelle petite famille rentre en grâce. Mais on préfère qu'elle s'établisse discrètement ailleurs. Et l'on trouvera au « jeune père » une situation plus rémunératrice que celle qui lui permet tout juste de survivre.

Le banquier prend contact avec un armateur de ses relations qui l'introduit auprès d'un grand marchand de vins bordelais. Il lui parle de Léonard Sèzeneau : pourquoi ne pas confier à ce Français entreprenant et habile orateur la charge de négocier l'entrée en Suède de tel grand cru ?

N'y a-t-il pas là un marché étonnant à découvrir et à exploiter ?

Rendez-vous est pris. Léonard, parfaitement bilingue à présent, et parlant aussi bien l'anglais, fait excellente impression sur le représentant de la société Lenoire et fils de Bordeaux. Mais la condition est que le futur négociant s'installe à Stockholm avec sa famille et soit prêt à voyager beaucoup : Stockholm sera la plaque tournante de ce commerce entre la Suède, la Finlande et la Russie, et peut-être un jour la Norvège.

Léonard est séduit par ce projet qui mettrait un terme à ses inquiétudes matérielles. Il voit même poindre pour lui une ambition d'une nature toute nouvelle. Le commerce, pourquoi pas ? On lui a de toute façon fait comprendre que, s'il voulait bénéficier de l'appui de la famille de Hulda, la proposition était à prendre ou à laisser et qu'il s'agissait de sa dernière chance. Alors fini Göteborg, terminé les conférences littéraires ?

Il accepte. Voilà le professeur de français promu négociant en vins. On peut se demander comment l'homme de quarante ans a vécu ce radical changement de vie, de milieu, d'intérêts. Est-il resté quelque chose du lettré dans l'homme d'affaires, du rêveur chez le commerçant qu'il est si promptement devenu ?

Hulda, elle, est transportée de joie. Pour elle, elle n'en doute pas, la vraie vie va commencer, ou plutôt, après une brève interruption, reprendre, puisqu'elle va retrouver l'existence pour laquelle on l'avait élevée. Déjà, elle imagine l'avenir qui l'attend à Stockholm, distribue son futur appartement, songe aux invitations qu'elle pourra lancer : c'est une résurrection.

STOCKHOLM

1869-1874

Ici se place sans doute, avec la réussite de Léonard, qui semble magistrale, la période la plus heureuse de la vie de Hulda.

La nouvelle famille s'installe dans un des plus beaux quartiers de la ville, Ölmalm, près de Strandgatan, dans une rue très bourgeoise, Storgatan, au numéro 29. Le couple est dûment marié à présent – la cérémonie, célébrée dans la plus grande simplicité, avait eu lieu en décembre 1868, à Copenhague, pour des raisons sentimentales, je suppose, autant que dans un évident souci de discrétion. Hulda, Léonard et le petit Isidore sont inscrits sur le registre de la paroisse réformée française de Stockholm. Ce qui montre, comme le fera d'ailleurs le choix du prénom des enfants, que le chef de famille a bien l'intention d'affirmer son identité française et de franciser les siens. Un deuxième petit garçon, Eugène, naît en décembre 1869.

Le nouvel appartement est spacieux, élégamment meublé. Deux bonnes, Anna et Christina,

secondent la maîtresse de maison. Pas de gouvernante : Hulda tient à s'occuper elle-même de ses
enfants. Et pour le service de monsieur, il y aura
bientôt un valet.

C'est un vrai bonheur pour la jeune femme de
vivre dans la grande et belle ville de Stockholm.
Quelle différence avec Göteborg ! écrit-elle à sa
mère, quelle effervescence dans l'air, quelle légèreté, quelle fraîcheur dans cette ville rose et ocre !
Sortir dans la rue, se promener dans les parcs,
descendre Storgatan et découvrir la mer, les
bateaux amarrés, aller d'île en île, est pour elle
une joie renouvelée chaque jour. Le Théâtre
national – l'Opéra royal – est tout près de chez
eux, sa programmation prestigieuse. Partout il y a
des concerts, des expositions de peinture, des
librairies, des cafés... Sans parler des mer-
veilleuses boutiques de mode inspirées de Paris
qui jalonnent les avenues. La jeune provinciale
est éblouie. Elle a l'impression de voir se réaliser
les rêves de bonheur naïf qu'elle formait au temps
de ses années de pensionnat.

Les affaires de Léonard sont prospères : tout
lui réussit. Très vite le marché avec la Finlande et
surtout avec Saint-Pétersbourg est une réussite :
Sèzeneau est maintenant fournisseur officiel de
la cour d'Alexandre II. Témoignage de ce temps
heureux, le portrait personnellement dédicacé
du tsar que mentionne fièrement Hulda dans
une lettre à sa mère – mais je suppose que le
souverain en était prodigue. C'est aussi de cette

époque que datent les quelques très beaux verres de cristal, gravés au chiffre S, l'initiale de Sèzeneau, que tante Alice avait réussi à garder et me montrait avec vénération, souvenir des dîners qu'avait donnés son père.

Hulda s'épanouit. Elle est devenue réellement belle : parce qu'elle est amoureuse et heureuse en ménage, comblée par la maternité, mais aussi délivrée de toute angoisse matérielle, et des tâches si nouvelles pour elle qui avaient dû l'épuiser à Göteborg. Radieuse sans doute également parce qu'elle retrouve le statut social qui devait être le sien, celui pour lequel ses parents l'avaient éduquée et qui lui est naturel.

À présent, elle n'a d'autre souci, avec celui de la santé de ses bébés, que de veiller à l'élégance de son intérieur, à la sienne, à l'harmonie de la vie quotidienne, et à la qualité des soirées et des dîners qu'elle est chargée d'organiser pour assurer à son mari le prestige auquel il tient.

J'ai sous les yeux, datée de 1870, une photographie de la jeune femme en robe de soirée ajustée et froufroutante : ses beaux cheveux, relevés avec art, la révèlent séduisante, parée d'une sorte de majesté tranquille... Cependant on lit dans son regard une étrange tristesse, une secrète inquiétude qui viendrait démentir cette apparence d'équilibre, d'harmonie. Comment peut-on, au sein d'un bonheur parfait, avoir un regard aussi triste ?

Effet de la prospérité matérielle, on déménage

bientôt pour un appartement encore plus grand, encore plus beau, dans le même quartier, au 29 de la Nybrogatan, presque en face, cette fois, de l'Opéra royal, et encore plus près de la merveilleuse promenade de bord de mer de Strandgatan. À Göteborg aussi il y avait la mer, mais ce n'était pas la même, la lumière, là-bas, était plus sombre, les couleurs des bateaux moins éclatantes, et surtout il n'y avait pas la splendeur continue des altières façades bordant la côte.

En avril 1871 naît une petite fille ravissante, Louise. C'est elle qu'on voit dans les bras de sa mère sur une de ces photos sépia cartonnées, portant en lettres anglaises dorées le nom et l'adresse du photographe élégant de la ville. Hulda, rayonnante, apparaît là comme l'image de la maternité heureuse.

À tant de succès la famille Christiansson applaudit bien sûr à grands cris. Les mauvais souvenirs sont oubliés. On vient plusieurs fois en visite, depuis Göteborg, admirer les enfants, la nouvelle installation. Et preuve s'il en est de la réconciliation, on confie à Hulda la charge de son frère Anders, qui a maintenant dix-neuf ans et vient faire des études de lettres à Uppsala. Chaque fin de semaine il habitera l'appartement des Sèzeneau.

Léonard n'a jamais été d'apparence aussi magnifique. Les photographies de cette époque, nombreuses, montrent un homme dans la force de l'âge, élégant, sûr de lui comme toujours, mais sérieux, grave, paré d'une nouvelle autorité. Ses cheveux grisonnent, il a un peu forci : mais, ce qu'il a perdu en légèreté, il l'a gagné en respectabilité. Il n'a plus cet aspect dégingandé, désinvolte, que présentaient les images de ses débuts en Suède. On sent à présent que c'est un homme arrivé, établi, heureux dans ses affaires comme dans son mariage, et père de trois beaux enfants.

Ces mêmes années, en France, entre juillet 1870 et le printemps 1871, il se passe des choses effroyables : c'est la guerre, l'invasion du pays par les Prussiens, les défaites de Napoléon III, sa chute, le siège de Paris, puis les heures sanglantes de la Commune. Que pense-t-on de tout cela à Stockholm ? Bien sûr, Léonard est soucieux, pour la France sans doute, car il est patriote, mais il est aussi inquiet pour l'avenir de sa situation en Suède. Ici la bourgeoisie conservatrice déplore l'agitation française, l'avènement de la République, l'avancée des idées de gauche, y voit le spectre menaçant de l'anarchie, du terrorisme. Hulda, elle, n'est guère touchée par ce qui se passe si loin d'elle : elle est profondément attachée à son pays, la Suède, et son horizon ne dépasse pas le cercle familial.

Et puis la maison tout ensoleillée de rires d'enfants est si gaie, si paisible... Comment, au cours de ces années de prospérité familiale, la

lecture des journaux, avec les mauvaises nouvelles de France, aurait-elle pu vraiment assombrir l'atmosphère ? Tout semble si aisé, si naturel
dans l'appartement lumineux de la Nybrogatan.
Le temps passe, les jours s'écoulent dans une
espèce d'euphorie, une quiétude bourgeoise de
bon aloi.

Il y a même chez les Sèzeneau un début de
laisser-aller domestique, une nonchalance heureuse, qui tient sans doute au fait que le maître
de maison est rarement là, et que la douceur de
caractère de Hulda la rend exagérément indulgente avec les enfants, et peu exigeante avec les
jeunes bonnes. Pour comble de félicité, au début
de 1873, un nouveau bébé s'annonce, ce qui
ravit la jeune femme. Seule la mère de Hulda,
très présente par ses lettres auprès de sa fille, la
met en garde devant la lourdeur de la charge de
quatre enfants si jeunes. Sa santé lui permettra-
t-elle de jouer à la fois son rôle de mère d'une
famille si nombreuse et celui de maîtresse d'une
maison où l'on reçoit beaucoup ? Sigrid s'alarme
de la fatigue de cette nouvelle grossesse, alors
que la jeune épouse vient à peine de trouver sa
place dans la bonne société de la ville, que son
salon commence à avoir une certaine réputation.
Qu'en pense Léonard ? N'est-il pas inquiet, lui
aussi ? Il devient absolument nécessaire que,
dorénavant, Hulda soit épaulée par un personnel
de qualité. Les deux bonnes, ces deux filles
rieuses et incapables, ne suffisent plus. Il faut une
gouvernante.

C'est en effet ce que dit Léonard de plus en plus souvent, agacé, quand il rentre, par le désordre de la maison, les piailleries d'enfants indisciplinés, et même le nouveau négligé vestimentaire de sa femme. Tout cela manque de tenue, ne correspond pas à l'image qu'il veut donner de lui et des siens. Une gouvernante ? La jeune femme s'effraie, craint que ses enfants ne lui échappent. Il la rassure, si elle y tient, elle pourra toujours s'occuper du bébé à venir, mais, pour ce qui est des deux aînés et de la petite Louise, il faut penser sérieusement à leur éducation, et, seule, elle n'en aura pas le temps. Lui, très occupé par son travail, souvent parti pour plusieurs jours, tantôt en Finlande, tantôt en Russie, ne peut absolument pas assurer cette charge. De plus, lui rappelle-t-il, il est grand temps que les enfants se mettent pour de bon à l'apprentissage du français : elle sait combien il y tient, notamment pour les fils, qui portent son nom, feront un jour leurs études en France, et sans doute s'y établiront. Il le lui répète. Ils doivent engager une gouvernante française, ou, tout au moins, une personne parlant parfaitement français. Les enfants ainsi pris en charge, tout ira mieux dans la maison, Hulda pourra se consacrer au bébé et elle aura le temps de s'occuper davantage d'elle-même et de l'élégance de ses réceptions.

La jeune femme proteste, pleure un peu. Puis feint de se rendre aux raisons de son mari, tant est

grande sa crainte de le mécontenter : mais, inté-
rieurement, tout son être se rebelle : une Française, une étrangère, et même tout simplement
une femme, chez elle, «gouvernant» à sa place,
non, elle n'en veut pas.

Ce qui la chagrine, aussi, c'est que Léonard
semble douter de ses capacités à enseigner le
français à ses enfants. C'est vrai qu'elle n'a jamais
vraiment essayé de le faire : il lui est tellement
naturel de s'adresser en suédois à ses petits. Elle
sait bien que son français n'est pas parfait ; il n'a
jamais osé le lui dire, mais combien de fois l'a-
t-elle vu sourire devant un mot mal prononcé, ou
froncer le sourcil sur un barbarisme. Engager une
gouvernante essentiellement pour cela, n'est-ce
pas le reconnaître ?

Et puis, elle si tendre, si indulgente pour ses
enfants, elle redoute sincèrement pour eux la
sévérité d'une femme qui ne saura pas les écouter, les comprendre, et leur ôtera cette joie de
vivre, cette pétulance qu'elle aime tant en eux.

On est en juin 1873, le bébé doit naître en
janvier. Ne pourrait-on remettre à ce moment la
venue d'une gouvernante ?

Il n'en est pas question, tranche Léonard.

Hulda ne dit plus rien. Mais pour elle, le bonheur de l'attente de l'enfant est déjà comme fané.

De fait, la jeune femme est épuisée, tendue : cette quatrième grossesse ne lui réussit pas. Les enfants deviennent réellement difficiles, les absences de Léonard, de plus en plus requis par ses affaires, la laissent désemparée, incapable de prendre une décision, comme si elle n'avait pas de volonté propre, et la maison va à vau-l'eau. Elle, qui était devenue si coquette, se néglige, tarde à se lever, ou se retire dans sa chambre dès l'après-midi. D'ailleurs, que son mari soit là ou non, tout l'affole, l'angoisse. Alléguant sa fatigue, elle n'a pas voulu paraître à son dernier dîner d'affaires, alors qu'il l'en pressait, le disant particulièrement important pour sa carrière.

Ce soir-là, il se fâche, exige, puisqu'elle va si mal, qu'elle reçoive sur-le-champ la visite de gouvernantes postulantes. C'est leur première vraie dispute.

Une première candidate, française, se présente ; c'est une grosse femme à lunettes, qui rit grassement et parle en postillonnant ; elle est mariée à un gendarme suédois, parle suédois, mais avec une grande vulgarité. Non, Hulda ne veut pas de cette harengère auprès de ses enfants.

Puis c'est au tour d'une Allemande, dotée d'une voix redoutable. Cette fois, c'est Léonard qui s'insurge. Une Suédoise malpropre n'aura pas davantage de succès.

Le temps passe sans qu'on ait rien résolu. Chez les Sèzeneau, le désordre s'installe. Léonard est excédé. Effrayée du ton que prennent ses reproches, Hulda tente désespérément de reprendre la situation en main, mais c'est au-dessus de ses forces. Les crises de larmes se succèdent, et même des malaises qui mettent la maison en émoi.

Le médecin qu'on a dû faire venir après un nouvel évanouissement ordonne cette fois du repos à la jeune femme si elle ne veut pas perdre l'enfant qu'elle attend. Impressionnée, Hulda finit par en convenir et accepte tout ce qu'on voudra. Perdre un enfant, c'est la chose pour elle la plus effrayante qu'elle puisse imaginer.

Il faut plus que jamais trouver une gouvernante.

Inquiet et exaspéré, Léonard se résigne presque à engager n'importe qui, lorsque le hasard va lui faire rencontrer la perle rare.

Il a dû partir une fois de plus pour Saint-Pétersbourg sans avoir rien décidé, quand, au cours d'une soirée, il entend parler de la triste fin d'un grand acteur de l'Opéra royal de Stockholm, Georges Bergvist, qui, après avoir connu des heures de gloire, vient de mourir, âgé et assez oublié, laissant sa famille dans une situation précaire. On raconte qu'il s'est ruiné en dotant très richement ses filles aînées et que, ces dernières années, le jeu et l'alcool ont eu raison du peu d'argent qui lui restait. La veuve de Bergvist, actrice vieillissante, à qui l'on ne donne plus de rôles, serait presque dans le besoin. Et l'une des filles cadettes a dû partir vivre chez son frère aîné à Saint-Pétersbourg, où elle chercherait un emploi de gouvernante. On la dit très cultivée et parlant excellemment le français.

Sèzeneau s'informe, demande à la rencontrer.

Elle s'appelle Olivia Bergvist. Elle a vingt-deux ans. C'est la sixième enfant du comédien et de sa femme, Myrta, qui en ont eu neuf. Un des frères aînés, établi à Saint-Pétersbourg comme ingénieur mécanicien, a accepté de l'accueillir, mais la jeune fille réclame son indépendance. Elle n'a encore jamais travaillé, n'a aucun diplôme, mais une très bonne connaissance du français, appris dès l'enfance auprès d'une institutrice française, et elle sait s'occuper d'enfants pour avoir souvent remplacé leur mère auprès de ses deux petites sœurs.

Rendez-vous est pris juste avant que Léonard reparte à Stockholm. Il attendra cette personne dans le hall du Grand Hôtel où il a l'habitude de descendre à Saint-Pétersbourg.

D'emblée il est frappé par la personnalité de la grande jeune fille qui se présente à lui, son air d'autorité, sa prestance, vêtue du très strict ensemble noir qui est encore celui du deuil de son père, ses cheveux blonds-roux relevés sous un élégant petit chapeau noir. La peau très blanche, à peine marquée de quelques taches de rousseur, les traits réguliers, elle est jolie, mais sans mièvrerie, presque dure, rugueuse dans sa façon de parler comme elle est raide et décidée dans ses gestes. Il lui trouve quelque chose de curieusement masculin, même si sa silhouette, son visage sont bien d'une femme, et même d'une belle femme. Nul doute, elle est capable de tenir une maison. Et son français est, comme on le lui avait dit, parfait.

Il lui explique en quoi sa fonction consisterait auprès de ses enfants, les trois aînés. Il lui parle d'eux. De sa femme. De sa fragilité. De l'enfant qu'elle attend, et dont elle s'occupera elle-même – elle y tient. Du rôle qu'une gouvernante sera alors amenée à prendre dans la maison. Enfin, il évoque ses propres responsabilités, la nature de son travail, les fréquents voyages qu'il est appelé à faire.

L'entrevue est rapide, tout cela convient à la jeune fille – la façon dont elle sera logée, ses appointements, question abordée presque avec gêne par Léonard, mais qui semble assez peu lui importer à elle –, tout est parfait : elle est très désireuse de venir, se réjouit de retrouver Stockholm. «Comment, s'exclame-t-elle, vous habitez presque en face de l'Opéra royal ?» Oui, certes, elle sera heureuse de retrouver tout cela... Elle n'en dit pas davantage.

Pour Léonard, dans l'instant sa décision est prise : jamais il ne trouvera personne qui convienne davantage. Inutile de consulter Hulda : il l'informera à son retour, elle ne pourra que l'approuver. Olivia serait prête à les rejoindre dès le début de septembre, donc dans quinze jours. Tout semble s'arranger au mieux.

Ils se quittent enchantés l'un de l'autre : de part et d'autre l'essentiel a été dit, et compris entre gens qui parlent la même langue au propre comme au figuré. Le français de Livia est non seulement excellent mais raffiné. D'autre part, il apprécie le pragmatisme et la simplicité de la jeune fille. À un moment, comme Léonard lui demandait comment elle souhaitait qu'on l'appelât, mademoiselle, ou mademoiselle Bergvist, elle s'est écriée avec une spontanéité qui lui a plu : « Je m'appelle Olivia, mais vous pouvez m'appeler Livia. C'est le nom que mon père me donnait. »

Son père, il osait à peine lui en parler. Il lui a dit tout de même son admiration pour l'acteur qu'il avait été, et qu'il avait vu jouer, un jour, à Göteborg. Mais on aurait dit qu'elle était ailleurs, soucieuse, agacée peut-être par des compliments qu'il faisait sans doute par politesse. Elle l'avait d'ailleurs interrompu en riant : « Oublions cela, voulez-vous, ne pensons qu'à la gouvernante que je serai pour vos enfants ! »

Ils ont ensuite un peu parlé littérature. Et il a été étonné des connaissances de la jeune fille. Et charmé : il n'avait plus ce genre de conversation depuis longtemps.

Il a aimé aussi la manière soudain très froide, presque abrupte, avec laquelle elle avait pris congé, une espèce de dignité qui contrastait avec l'aisance de leur entretien et avait quelque chose de piquant.

Une curieuse personne. Intelligente. Attachante. Elle fera, estime-t-il, une excellente gouvernante.

Et puis il n'y a plus pensé. L'affaire était conclue. Il était pressé de rentrer à Stockholm.

Faut-il rappeler que je ne dispose d'aucune photo de Livia. Je n'ai pour me la représenter que deux ou trois détails retenus des récits de tante Alice, et bien sûr, le fil de son histoire, qu'à présent je connais. Mais, mystérieusement, je sais tout d'elle : peut-être parce que rien n'est si proche de nous que ce qui nous a fait rêver enfant.

Ainsi, je l'imagine, le jour de son départ pour Stockholm, je la vois sur le bateau à vapeur qui assure la traversée en trois jours depuis Saint-Pétersbourg. Elle est là, dans son petit costume noir, appuyée au bastingage. On passe à côté d'elle sans la remarquer, elle a l'air si sage, si comme il faut, sous sa voilette noire. Elle ne connaît personne à bord et se réjouit de ce temps de solitude qui lui est donné avant d'entrer dans la vie nouvelle qui l'attend.

Retrouver son pays, sa ville, pour elle qui n'a pu s'habituer à la rudesse du langage et des manières russes, c'est un bonheur, bien sûr, mais un bonheur triste, parce que, elle le sait, retrouver le souvenir de son enfance sera douloureux, presque autant que celui de la mort de son père, de ces étranges journées de deuil d'il y a seulement quelques mois. De plus, ce n'est pas sans appréhension qu'elle reverra sa mère, avec laquelle les rapports ont toujours été tendus. L'actrice de soixante ans est malade, démunie, amère, d'un abord difficile.

Livia se rappelle avec étonnement le temps pas si lointain – trois ans plus tôt? – où entourée de ses frères et sœurs et au sein de la famille du théâtre, elle était choyée, gâtée en dépit des difficultés d'argent qui commençaient à se manifester de façon criante; le temps où elle était une véritable petite princesse: si jolie, si douée pour tout, disait-on. Comment! Être la fille de Bergvist et ne pas faire de théâtre? Mais non, être comédienne, elle ne voulait pas, et sans doute avait-elle ses raisons. Alors, se marier? Sans dot il ne fallait pas y penser.

Et maintenant... Bien sûr, pour la jeune fille, il y a quelque chose d'angoissant à se lancer dans cette nouvelle existence, à devoir assumer cette fonction de semi-domesticité à laquelle rien ne la préparait. Mais qu'aurait-elle fait d'autre à Saint-Pétersbourg? Au moins, elle va revoir Stockholm, cette ville où elle est née et qu'elle aime tant, même si elle ne souhaite y retrouver personne, pas même sa mère, surtout pas sa mère... Et sur le plan matériel, cette place de gouvernante, n'est-ce pas une solution? Elle sera cette fois à l'abri du besoin. Mais que d'inconnu dans cette aventure ! De ces Sèzeneau, elle ne sait presque rien, sinon qu'ils sont très honorablement établis, lui a-t-on dit. Français, ou suédois, finalement ? Lequel des parents donnera le ton ? le Français ou la Suédoise ? Et elle, elle sera là, suédoise, pour enseigner le français aux enfants d'une Suédoise ? N'est-ce pas un peu étrange ? Et puis, il y a cette donnée inconnue, ce départ possible pour la France : n'a-t-il pas été posé pour condition qu'elle soit prête, le cas échéant, à suivre la famille en France, s'ils décidaient d'y aller vivre ? Mais, elle qui n'a plus d'attaches, aller vivre en France, ce pays dont elle connaît la langue comme la sienne et dont elle apprécie tant les écrivains, ne serait pas pour lui déplaire.

Un homme singulier, ce Léonard Sèzeneau. Il lui en a tout de suite imposé, à elle si naturellement impérieuse. Tout en lui l'intrigue.

D'où vient-il ? Pourquoi est-il venu en Suède ? Pourquoi pense-t-il déjà en repartir ? Il n'est pas si jeune, mais il a de très jeunes enfants. Quelle a pu être sa vie auparavant ? Aurait-il été déjà marié ?

Il a eu le tact, lors de leur entrevue de ne pas lui parler avec l'arrogance du bourgeois se posant immédiatement en maître devant celle qui se présente en solliciteuse ; au contraire, il s'est adressé à elle avec une grande simplicité, mêlée d'une sorte de respect. Il sait qui elle est. Il lui a parlé de son père de façon si admirative qu'elle en était gênée.

De toute façon, le respect, n'est-ce pas le sentiment qu'elle suscite sans qu'on ait besoin de la connaître ? Ici, par exemple, sur ce bateau où elle est en seconde classe, n'a-t-elle pas droit naturellement à une certaine déférence ? « Si mademoiselle veut bien gagner le restaurant, vient de lui dire le steward en s'inclinant devant elle, le service du déjeuner va commencer. » Et ce n'est pas à sa mise très simple, à l'élégance sans apprêt de son petit chapeau noir, qu'elle doit cette considération, mais à une autorité naturelle, une stature, un port de tête, ce petit air de dignité ferme qu'elle se connaît et qu'elle entretient. Oui, à vingt-deux ans, elle est presque une dame. Il faut bien. C'est cela, sans doute, que Léonard Sèzeneau aura perçu au premier regard.

Elle sourit en pensant à l'angoisse qui était la sienne en franchissant la porte-tambour du Grand Hôtel d'Angleterre… Encore bouleversée par la rencontre, qu'elle venait de faire, d'une vieille femme en noir qui mendiait au pied des marches monumentales et l'avait regardée de méchante façon en murmurant Dieu sait quelle imprécation parce qu'elle passait devant elle sans rien lui donner.

« N'y va pas, lui aurait dit sa mère, la très superstitieuse Myrta, n'y va pas : c'est un signe. Elle va te porter malheur ! »

Mais elle y était bravement allée, avait passé la porte-tambour sans un regard en arrière. Et là, tout de suite, elle avait vu cet homme assis dans un fauteuil club du hall, qui s'était levé à son approche et l'avait saluée avec déférence :

« Léonard Sèzeneau... Vous devez être mademoiselle Bergvist ? »

Elle se souvient de chaque mot de leur entretien. De la manière dont il s'était très rapidement acquitté de l'exposé de sa demande : il aurait souhaité une gouvernante française, mais, par égard pour sa femme, avait-il précisé, il avait pensé qu'une jeune Suédoise serait préférable, si elle était à même d'enseigner aussi bien le français aux enfants. Il lui avait parlé des enfants, des deux garçons de cinq et quatre ans et de la petite Louise, âgée de deux ans. Du bébé qui allait naître. Il avait évoqué leur appartement de la Nybrogatan, tout près du théâtre, presque en face (« Ah ! » avait-elle fait, sans qu'il ait sans doute pu interpréter le sens de ce « ah ! »), ce second étage lumineux, lui avait détaillé la répartition des pièces, parlé de la grande chambre qui lui serait dévolue. Ils s'étaient aisément mis d'accord sur les conditions de son engagement. Puis, comme s'ils s'étaient l'un et l'autre débarrassés d'une corvée, ils avaient ensuite parlé librement, presque comme deux amis. Combien de temps ? Elle ne sait pas. Sans doute pas longtemps mais elle se rappelle chaque instant.

Ainsi, il se souvenait d'avoir vu jouer son père

à Göteborg. «C'était..., attendez..., en 1866 : je venais d'arriver. Il tenait le rôle de Knox, dans *Marie-Stuart*...

— Je m'en souviens moi aussi, avait-elle dit. Il avait monté la pièce auparavant chez nous, à l'Opéra royal. Je me souviens de ce moment-là...»

Elle se le rappelait, en fait, parce que c'était le jour de ses seize ans et qu'on n'avait pas eu le temps de fêter son anniversaire... Pas même le temps de chanter ensemble le joli et gai couplet festif du *Födelsedag*. «Un acteur extraordinaire..., avait continué le Français sans remarquer son émotion. Moi qui arrivais en Suède – c'était mon premier spectacle ! –, j'avais été impressionné... Quelle présence ! Quelle voix ! Et puis cette inventivité du geste, cette science du détail dans la mise en scène, car, cela aussi, c'était lui, n'est-ce pas ?»

Comme c'était étrange d'entendre cet homme-là parler de son père et de sentir ainsi remonter en elle les souvenirs...

«Vous devez être fière de votre père», poursuivait-il... Pourquoi avait-elle alors entendu cette politesse banale comme une question ? Elle n'avait pas répondu, troublée par l'ambiguïté de sa propre pensée à cet instant.

Avait-il remarqué la petite crispation de ses lèvres, comme de quelqu'un qui voudrait dire, mais qui s'empêche ?

«Vous étiez sûrement heureuse d'avoir un tel père ?» avait-il repris.

Impossible cette fois de ne pas répondre. Mais que dire ? Bien sûr qu'elle aimait son père, qu'elle était fière de son talent, qui ne l'aurait été ? Mais il y avait en lui quelque chose qui faisait peur, une force trop grande peut-être, qui écrasait, et qu'elle ressentait encore, parfois, avec malaise. Un ogre. C'était un ogre, son père.

Curieusement, à l'inconnu qui l'interrogeait, à cet homme qui ne lui était rien, après un silence de quelques instants, elle avait murmuré très bas ce qu'elle n'avait jamais confié à personne :

« Je ne sais pas, monsieur, je ne sais pas si j'étais heureuse… »

Puis elle s'était tue, comme étonnée de cette confidence.

Il avait eu le tact, cette fois, de ne pas insister.

Alors ils avaient un peu parlé littérature. Quelques mots simplement. Mais curieux. Elle avait beaucoup lu, en français particulièrement. Il disait avoir été, un temps, professeur de français. « Connaissez-vous Stendhal ? » lui avait-il demandé. Oui, bien sûr, elle avait lu *Le Rouge et le Noir* ; c'était même son livre préféré.

« Vous souvenez-vous, avait-il demandé avec un petit sourire, de ce passage, au début du roman, où Julien, qui va faire ses débuts comme précepteur, se présente en tremblant à la porte de Mme de Rénal, tout aussi effrayée elle-même à l'idée de l'inconnu qui va peut-être battre ses enfants ? »

Elle s'était sentie rougir, bizarrement contrariée,

sans doute, qu'on pût la croire timide : « Mais moi, s'était-elle écriée, je ne tremble pas... »

Il lui avait demandé de l'excuser : ce parallèle, s'il l'avait fait, c'était simple réminiscence littéraire qu'amenait la situation, sa jeunesse... « À vrai dire, avait-il ajouté, c'est surtout à ma femme que je pensais : si délicate, si fragile que tout l'inquiète... Elle serait assez Mme de Rénal. Mais je suis sûr que vous aurez à cœur de la rassurer, n'est-ce pas ? »

Pourquoi lui avait-il dit cela ? Est-ce que cela la regardait ? Il avait peut-être parlé sans réfléchir, comme ça, à l'étourdie. Se souviendrait-il seulement de cette conversation ? Elle-même, après tout, n'était-elle pas aussi allée trop loin dans la confidence à propos de son père ? Qu'est-ce qui lui avait pris ?

À ce moment, il avait été appelé par quelqu'un de l'hôtel : on l'attendait. Elle avait été satisfaite, sans trop savoir pourquoi, de cette interruption. Ils avaient pris congé. Elle pourrait arriver le deuxième lundi de septembre. Il lui avait serré la main, et, dans son regard, elle avait senti qu'elle l'avait intrigué, mais qu'il lui faisait confiance, peut-être justement parce qu'elle l'intriguait.

Quant à elle, quelle que fût sa sympathie pour le personnage, elle était bien décidée à se montrer dorénavant plus réservée.

C'est lui qui est venu la chercher au débarca-
dère. Elle l'a tout de suite reconnu à sa haute taille,
sa manière de se tenir très droit sous le haut-de-
forme gris, debout dans la foule qui guettait les
passagers à la descente du bateau. Elle a aimé la
cordialité avec laquelle il l'a accueillie, la discrétion qu'il a eue, durant les quelques pas qu'ils ont
faits ensemble, le long de la Nybrogatan, de ne pas
remarquer son émotion, surtout lorsqu'ils sont
passés devant le théâtre.

Et maintenant, dans le grand salon, ce matin
baigné de soleil, ils sont là tous les trois, Léonard
Sèzeneau, sa femme, et elle, Livia, un peu
comme trois acteurs sur une scène, encore igno-
rants de leurs rôles. On va présenter les enfants à
la gouvernante, mais d'abord ce sont eux, les
parents, ce couple, et elle, qui font connaissance.

Plus tard, elle ne se rappellera pas les paroles
qu'ils ont échangées, banales sans doute, mais
bien les regards, bien la lumière de ce moment-là.

La petite jeune femme blonde qui se tient devant elle un peu penchée en avant, visiblement émue, désireuse de bien faire, de tenir son rôle de maîtresse de maison, il faut qu'elle s'en fasse une amie; mais le maître, elle sait que c'est lui, cet homme qui l'a amenée ici, cet homme étrange, à la fois autoritaire et familier, qu'elle a l'impression de connaître depuis longtemps. C'est lui qu'elle servira. Ses enfants à lui qu'elle élèvera.

Elle les regarde, elle et lui, cet homme et cette femme, ce couple. Elle essaie d'imaginer, de comprendre leur relation, qui l'intimide, qui l'effraie un peu sans qu'elle sache encore pourquoi.

C'est une très jolie femme, bien plus jeune que lui, coiffée avec art, vêtue d'un long déshabillé de mousseline rose qui masque avec élégance une grossesse assez avancée. Mais son corps, sa manière de se tenir, trahit une secrète gaucherie naturelle, et son visage comme une peur que cherche à dissimuler un sourire un peu crispé. Et puis, il y a cette fragilité, cette pâleur, cette minceur des poignets : des poignets et des mains d'enfant. Elle semble fatiguée par son état, mais c'est comme une lassitude douce qui ajouterait à son charme. On comprend que son mari l'aime, ait envie de la protéger. Toujours Livia gardera le souvenir de cette première vision de la jeune femme en rose, si douce, si indolente.

Elles ont le même âge, exactement : nées toutes les deux en 1850, apprendra-t-elle plus tard, à quelques mois près, mais c'est Livia l'aînée, et elle se sent en effet l'aînée de cette femme enfant. Peut-être aussi parce qu'elle la domine de presque une tête.

Elles sont suédoises toutes les deux. Et lui, cet homme qui est là, debout entre elles, est français, différent, étranger. Par son pays, mais aussi, et surtout, parce que c'est un homme et parce qu'elles sont femmes.

Il les présente l'une à l'autre, par leurs noms. La gouvernante souhaite-t-elle qu'on l'appelle mademoiselle? Non, je vous en prie; seulement devant des tiers. Et elle répète ce qu'elle avait dit à Léonard Sèzeneau lors de leur rencontre de Saint-Pétersbourg: «Mon prénom est Olivia; mais j'aimerais que vous et les enfants m'appeliez Livia, si vous voulez bien?»

La jeune femme en rose sourit, comme rassurée. Livia? Pensive, elle répète le prénom, comme pour se l'approprier. Dit qu'elle l'aime beaucoup.

Le soleil entre à flots dans la pièce par la large baie qui donne sur la place. Sur le rebord de marbre blanc, il y a des jardinières de géraniums roses qu'on a déjà rentrées pour l'hiver. Dehors, on entend le petit trot d'une calèche.

C'est un joli matin de septembre, et la vie semble simple.

«Le moment est venu de vous présenter les enfants! a dit gaiement Hulda. Je vais les chercher à la nursery.» La grâce avec laquelle elle s'est levée, a franchi la porte à double battant dans le mouvement léger de sa longue robe...

Elle revient, portant dans les bras la petite Louise, une enfant de deux ans. À ses côtés, Isidore et Eugène, quatre et cinq ans, sensiblement de la même taille, vêtus des mêmes costumes marin, culottes au genou, l'air tout émus de la confrontation avec l'inconnue. La petite fille, elle, après un bref coup d'œil jeté sur Livia, se cache le visage contre la poitrine de sa mère, qui, confuse de l'impolitesse de son enfant, essaie de la détacher d'elle en s'asseyant : mais la petite persiste, refusant obstinément de tourner la tête vers l'intruse.

« Voyons, Louise, dit faiblement Hulda, sois gentille, salue mademoiselle...

— Je vous en prie, laissez-la, murmure la gouvernante. Cela viendra tout seul.

— Quant aux garçons, poursuit Hulda, voici Isidore, l'aîné, et Eugène... Excusez-les, ils sont un peu timides ! »

Les enfants viennent saluer gauchement, prendre la main qu'on leur tend.

« Je m'appelle Livia, dit alors la gouvernante en français, dans un sourire, de sa jolie voix bien timbrée.

— Et la petite sauvage, intervient alors Léonard, s'appelle Louise... » Et, se levant, il prend d'autorité l'enfant des bras de sa mère pour l'installer sur ses genoux, la presse tendrement contre lui, puis, de sa main libre, doucement, comme on caresse, mais de façon impérieuse, lui tourne

75

la tête vers l'extérieur : «Allons, ma petite Louise, tu es une grande fille : regarde donc la jolie dame qui va être ta gouvernante... Tu vois, c'est notre amie, tu n'as pas à avoir peur ! »

La petite considère avec attention le visage de la jeune femme inconnue, mais sans le moindre sourire. Les garçons, eux, se sont rapprochés de la gouvernante et l'observent en silence.

C'est à ce moment que l'une des bonnes, une grande fille au visage encore enfantin, très blonde, robe noire et tablier blanc, est entrée pour dire à Hulda que le déjeuner était servi dans la salle à manger.

Léonard en profite pour faire les présentations : «Anna, voici mademoiselle Bergvist, notre nouvelle gouvernante.» Et il ajoute : «Mademoiselle déjeunera toujours avec madame et moi ; et aujourd'hui, exceptionnellement, les enfants prendront aussi leur repas dans la salle à manger.»

La bonne salue d'une brève révérence – ce genre de révérence qu'on fait, le corps parfaitement raide, en fléchissant légèrement un genou – et se retire.

La petite Louise, comme son père se lève et la dépose doucement sur le sol, court rejoindre ses frères dans leur contemplation muette de la gouvernante.

Hulda leur rappelle alors en suédois d'aller se laver les mains avant de passer à table. Et voilà que le petit Eugène s'empare spontanément de la main de Livia en demandant que ce soit elle qui les accompagne.

Tout cela réglé comme un ballet. Comme les rouages bien huilés d'une mystérieuse machine.

«Vous voyez, dit Léonard en souriant, vous les avez déjà conquis!»

Puis, suivant du regard la nouvelle gouvernante qui s'éloignait déjà avec les enfants, il demande à mi-voix à sa femme: «Alors, ma chérie, tu es rassurée, j'espère?» et il a pour elle, en l'aidant à quitter son fauteuil, le même geste caressant et impérieux qu'il avait eu pour la petite Louise, tandis qu'elle lève vers lui le regard d'une enfant qu'il aurait su tranquilliser. Ce regard bouleversant de l'amour et de la confiance absolue, tel qu'on peut en avoir pour un père, pour un amant, ou pour un maître.

Livia s'est parfaitement adaptée à ses fonctions et à la maison. Étrangeté, néanmoins, pour elle, de vivre si près du théâtre qui avait été si long-temps au centre de sa vie, de l'apercevoir de sa fenêtre, et d'en être si loin. Au début un serre-ment de cœur, et, bientôt, au prix d'un effort de volonté, plus rien. Ce lieu pour elle ne doit plus exister, elle le chasse de sa mémoire, avec tout ce qui s'y rattache. Elle n'est plus la fille du grand Bergvist. Elle est une gouvernante au service d'une famille, et c'est tout.

À la chambre spacieuse qu'on lui proposait au fond de l'appartement, non loin de celles des bonnes, elle a préféré une petite pièce attenante à la nursery, pourvue d'une entrée indépendante. Ainsi elle entendrait les enfants pleurer la nuit, évitant à Hulda de se déranger, comme c'était le cas jusque-là : la jeune mère n'aura-t-elle pas bientôt assez à faire avec le nouveau-né, qu'elle veut absolument garder auprès d'elle ? Et comme elle protestait, affirmant avoir l'habitude de ces réveils nocturnes, que ça ne la dérangeait pas, son mari avait tranché : la gouvernante avait raison, tout irait mieux ainsi, d'ailleurs les enfants n'étaient plus des bébés. Imperceptible gêne entre les deux femmes que n'a traduite aucune parole, mais un bref échange de regards : apitoyé de la part de Livia, presque suppliant de la part de Hulda. Doucement, la gouvernante la rassure, promet d'être vigilante, de veiller sur le sommeil des enfants comme si c'étaient les siens.

Très vite la jeune femme a senti la force de la nouvelle venue, reconnu son autorité calme, et s'est reposée sur elle de beaucoup de choses. Sans doute y a-t-il, dans son admiration, un peu de jalousie : elle est si parfaite, cette Livia, elle semble tellement à l'aise dans tout ce qu'elle fait... Les deux petits garçons l'adorent. Louise, au début réticente, commence à se laisser séduire. Comment la gouvernante s'y prend-elle pour se faire aussi obéir et respecter des bonnes, du valet, quand toute sa gentillesse à elle, toute sa douceur y échouait ? Incontestablement, en quelques semaines, la maison a changé d'allure. Léonard l'a constaté, et de le voir satisfait ravit sa femme et redouble sa confiance. Oui, Livia est précieuse. Elle lui doit beaucoup, elle en est consciente.

Petit à petit, c'est même plus que de la reconnaissance qu'elle éprouve pour elle, mais une timide amitié. L'envie lui vient de se confier à la jeune fille, de lui dire ce qu'elle ne confie à personne, ainsi cette inquiétude, cette angoisse qui l'étreint parfois au sein de la vie apparemment comblée qui est la sienne : mais elle sent que la gouvernante se dérobe et tient à garder ses distances.

Certes, Livia éprouve pour la fragilité de la jeune femme, sa douceur excessive, sa gaucherie parfois, une sorte de compassion, mais elle se tait. Ignore la demande silencieuse qui lui est faite. Hulda n'en recherche que davantage sa compagnie, son avis, ses conseils à tout propos : comment venir à bout des colères d'Isidore, des caprices d'Eugène, de la timidité de Louise ? C'est aussi Livia qu'elle consulte pour un arrangement floral, la place d'un meuble ou même le choix d'une robe. Et il y aurait d'autres questions qu'elle aimerait poser à la jeune fille. D'autres soucis qu'elle brûle de lui confier. Mais ceux-là, de toute évidence, Livia ne tient pas à les connaître.

Entre elles, elles parlent suédois. Cette langue est la leur. Ce pays le leur, et cette ville, elles l'aiment toutes les deux d'un même amour : Livia y a passé son enfance et sa jeunesse, Hulda, depuis trois ans, s'y épanouit. La vieille ville, les jardins, les différentes îles, le cher Strandgatan, c'est leur bien commun, le but de leurs promenades avec les enfants.

Avec Léonard, Livia s'exprime toujours en français quand ils sont seuls, mais à table, avec le couple, on parle le plus souvent suédois : le français de la jeune épouse est si hasardeux. Elle sent bien que son mari est gêné par ses fautes, son mauvais accent. La conversation est alors plus simple pour tous en suédois.

Quant aux enfants, les leçons de français ont commencé pour les deux aînés sur un rythme très doux : il s'agit de leur faire répéter des phrases usuelles une heure chaque jour, et bientôt deux.

Hulda a souhaité ne pas assister au cours : cela déconcentrerait les enfants, dit-elle. Peut-être aussi n'a-t-elle pas envie de se sentir étrangère à ce qui unit les petits élèves à leur professeur, ses enfants à la jeune femme. Ni d'éprouver son infériorité de façon trop cruelle, elle qu'on n'a pas jugée digne d'enseigner.

Léonard, rentré un après-midi plus tôt qu'à l'accoutumée, surprend la leçon dans le petit salon-bibliothèque tendu de gris où elles ont lieu. «Puis-je rester?» murmure-t-il en souriant, et, faisant signe aux garçons de ne pas bouger et de continuer sans faire attention à lui, il va s'asseoir derrière eux.

Livia en le voyant entrer avait rougi, un peu troublée, mais elle s'est vite reprise : elle a seulement échangé avec le visiteur un regard souriant, presque complice, et poursuivi sa leçon. «Aujourd'hui nous allons nous promener au parc», énonce-t-elle. Isidore, désigné du geste, répète la phrase, en faisant chanter démesurément les voyelles, en butant sur les consonnes. Elle le corrige. Il reprend. «Bien, dit-elle, c'est beaucoup mieux.» Puis c'est le tour d'Eugène. Et son frère doit enchaîner avec une petite phrase niaise qui dit sa satisfaction : «Ça me plaît beaucoup, et on achètera des glaces ! » Tâche dont il s'acquitte avec un attendrissant accent suédois.

À ce moment, les enfants se sont retournés vers leur père, et ils ont éclaté de rire, parce que c'était tellement insolite ce langage-là parlé entre eux, devant lui !

Léonard est heureux. Heureux d'entendre ses fils balbutier la langue qui est la sienne, et qui sera peut-être un jour la leur. Heureux de cette complicité avec ses enfants, de cette espèce de secret entre eux, qu'ils doivent à la jeune fille, cette nouvelle arrivée devenue si rapidement familière.

Il le lui dit. Pas en ces termes, il est trop pudique pour cela, mais elle comprend. Puis, avec cette brièveté déconcertante qui sans doute fait partie de sa séduction, il s'éclipse.

Il est dans la maison une autre personne que Livia a su conquérir : c'est Anders, le jeune frère de Hulda, qui vient les rejoindre chaque fin de semaine depuis l'arrivée de la famille à Stockholm. C'est maintenant un jeune homme de dix-neuf ans, brillant, sûr de soi, fier de porter la casquette blanche des étudiants. Il est inscrit à l'université de Uppsala en littérature et lettres anciennes. Il continue le français, malgré ses débuts décevants sous la férule de Léonard, avec lequel d'ailleurs il s'entend de plus en plus mal : et il faut toute la douceur et la patience de Hulda pour éviter entre eux des conflits toujours renaissants.

L'adolescent est logé dans une des chambres du fond car il tient à son indépendance et use ainsi de l'entrée de service. Il va et vient à son aise, découche, ramène souvent des camarades avec lesquels il fait grand bruit. Léonard se fâche. Anders réplique avec insolence. Ce n'est qu'en présence de sa sœur qu'il parvient à se modérer : il a pour elle, ils ont l'un pour l'autre, une extrême tendresse. «Il faudra bien qu'un jour tout cela cesse!» menace le maître de maison qui ne supporte pas le désordre ni les dépenses de l'étudiant.

Conscient de l'importance prise dans la maison par la nouvelle gouvernante, Anders a tenté de s'en faire une alliée, mais en vain : aux premières confidences plaintives que le garçon est venu lui faire à propos de l'intransigeance de Léonard, de son incompréhension de la jeunesse, elle a opposé un silence hautain qui l'a désarçonné.

Bientôt, sensible à son charme, il lui a fait une cour d'abord discrète, puis de plus en plus pressante : également en vain. Devant l'austérité de sa réaction, il s'est résigné à n'attendre d'elle qu'une amitié distante, au mieux des conseils presque maternels en dépit du peu d'années qui les séparent. Car c'est bien ainsi qu'elle considère ce joli garçon blond, aussi délicat et fragile que sa sœur : un enfant, simplement plus âgé que ceux dont elle a la charge. Avec, en plus, un peu de mépris pour son laisser-aller, sa nonchalance, son irresponsabilité de fils de famille, de *pappas gosse*. Bien différent en cela de son frère aîné Charles, qui a terminé son droit, exerce depuis un an le métier d'avocat, et va, paraît-il, bientôt se marier. Il habite Norrköping, une grande ville commerçante à quelque cent cinquante kilomètres de Stockholm, et vient parfois passer une journée chez sa sœur. Lui aussi semble apprécier

Livia, l'ordre qu'elle fait régner dans la maison, le respect que lui marquent les enfants.

Quant aux petites bonnes, Anna et Christina, elles appellent Livia Mademoiselle, et se soumettent apparemment à son autorité. Il n'y a d'ailleurs entre elles aucun autre contact que celui qu'exige la conduite du ménage. Livia prend soin d'éviter toute familiarité et use avec elles, comme avec la cuisinière, d'une politesse stricte : à l'office, on ne l'aime pas, mais on redoute sa rigueur, et l'on obéit.

Ainsi, en cette fin d'année 1873, tout semble fonctionner admirablement autour de Léonard dans le bel appartement de la Nybrogatan. Pourtant, au sein de cette apparente harmonie, il y a une ombre secrète, impalpable ; celle, peut-être, qu'on lit déjà dans le regard de Hulda.

On pourrait croire en effet que jamais Hulda n'a été aussi heureuse. Depuis l'arrivée de Livia elle paraît moins fatiguée. Ses trois enfants sont magnifiques, tout le monde lui en fait compliment ; et elle en aura un quatrième dans quelques mois. La maison est maintenant, grâce à la gouvernante, dans un ordre parfait. Enfin la situation de Léonard semble brillamment assurée, l'argent entre à flots et permet un grand train de vie.

Qu'est-ce qui ne va pas alors ? Qu'est-ce qui agite parfois si étrangement la jeune femme ? Quelle idée, ou plutôt quel sentiment insidieusement survenu ?

Parfois, en regardant son mari, elle surprend en lui quelque chose d'inconnu qui l'effraie, la trouble profondément : une dureté, une arrogance dans le regard ; dans la voix aussi, cette voix si caressante dans le secret de leur chambre, mais qui peut se faire soudain impérieuse et cassante à l'extérieur, avec les domestiques, avec ses employés, les commis, certains collaborateurs.

Et ce port de tête, cette façon de se tenir exagérément droit, roidi dans la conscience, semble-t-il, de son infaillibilité, de sa supériorité. En société, elle l'a aussi remarqué, devant certains de ses hôtes, ceux d'un niveau social égal au sien mais qui ne partagent pas ses idées. Elle a noté la manière dont il parle en privé de certains, le mépris qu'il affiche pour l'inculture de l'un, ou la bigoterie ridicule de l'autre. D'ailleurs, en matière de religion, elle voit bien la condescendance avec laquelle il tolère sa piété à elle, sa foi naïve, lui qui, officiellement protestant et fier de son protestantisme, est en réalité libre-penseur, elle le sait parfaitement.

Et elle-même, sa propre personne, comment la perçoit-il ? Comment la juge-t-il ? N'a-t-elle pas senti, parfois, posé sur elle, ce regard étonné, désagréablement surpris, silencieusement méprisant, pour rien, un mot qu'elle aurait dit au cours d'un dîner, d'une réception, quelque parole spontanée qui aurait témoigné de sa simplicité, de son ignorance de petite fille épousée au sortir du couvent ?

Elle se souvient de l'effroi qui l'avait saisie, glacée, le soir où, lors d'un dîner, pour une réflexion étourdie, elle s'était sentie jugée par lui et condamnée sans appel. Comme si, tout à coup, on l'avait vue nue. Comme si son joli col à ruchés de mousseline blanche, son élégante robe de taffetas gris à brandebourgs, garants de sa place de jeune femme de la meilleure société, devenus transparents, révélaient son imposture :

celle d'une pauvre fille sans éducation, que seul son statut d'épouse d'un homme éminent permettait de tolérer dans ce salon qui était le sien à lui bien plus qu'à elle.

Quand elle se regarde dans une glace, ce n'est pas sa silhouette alourdie par la grossesse qui la gêne, c'est autre chose, dans sa manière d'être, dans son visage : elle s'étonne elle-même de son regard trop pâle, ce regard vide, sans expression autre que le désir de bien faire, l'effroi de ne pas être celle qu'on attend qu'elle soit.

La peur, oui, vraiment, ce sentiment de presque panique cet autre soir de réception dans leur appartement de la Nybrogatan... Il y a là une dizaine de femmes de la bonne société, épouses d'hommes d'affaires, de notables, assises entre elles, tandis que les hommes sont debout devant la cheminée. Quelqu'un est au piano. Une dame chante. C'est un air de Grieg, un lied léger et tranquille... Pourtant on sent dans l'atmosphère quelque chose d'oppressant, d'étouffant. Vite, respirer ailleurs ! Hulda profite d'un ordre à donner à l'office pour s'absenter discrètement une minute. Peut-être plus. Elle ne s'est pas rendu compte du temps. Quand elle revient, la musique a cessé, on n'entend que la sourde rumeur des conversations, le rire aigu d'une femme, la voix de baryton d'un homme. Au moment où Hulda passe la porte du salon, son mari, se détachant du groupe des messieurs, se dirige vers elle. Il murmure à son oreille, sans la regarder, quelque chose qu'elle entend mal, d'une drôle de voix, basse et ferme à la fois, quelque chose qui doit concerner sa brève absence, quelque chose comme un reproche, quelque chose comme un ordre... Sans doute vient-il la chercher, la ramener dans ce salon où c'est son devoir de figurer... Elle doit, il le veut, s'asseoir à côté de ces dames, écouter leur conversation, les entendre parler du dernier spectacle de l'Opéra royal, du mariage prochain de leur fille, ou du temps qu'il fait.

Et, brusquement, il lui semble que c'est impossible, que tout cela l'ennuie mortellement, qu'elle est incroyablement fatiguée, qu'elle voudrait se coucher, disparaître. Elle voudrait fuir, retourner à l'office, rire avec les bonnes, ou aller retrouver ses enfants à la nursery – ils doivent y être en ce moment –, ils jouent avec Livia, Livia qui refuse toujours catégoriquement de participer aux grandes soirées des Sèzeneau, disant que ce n'est pas sa place, Livia qui la comprendrait... Oui, c'est auprès d'elle qu'elle trouverait réconfort! Et c'est soudain, dans le désir fou d'être là-bas, avec eux, avec elle, comme un malaise qui rend son front moite et fait battre son cœur plus vite qu'il ne devrait. Son état sans doute... Ou autre chose?

Mais, obéissante, elle regagne sa place et sourit à sa voisine de droite qui s'inquiète de sa pâleur.

C'est cela, peut-être, qu'elle voudrait raconter à la gouvernante. Mais elle ne le peut pas. Pas encore.

Pour le reste, elle s'appuie en tout sur elle. Parfois elle a le sentiment de trouver en elle comme une sœur aînée, mieux douée, qui la conseille, qui l'aide, et même la protège.

Bien sûr, il y a cette petite blessure d'amour-propre à voir combien ses enfants, si indociles avec elle, se rangent à l'autorité de la jeune fille. Mais elle se rassure à la pensée que c'est dans ses bras à elle que vient se réfugier la petite Louise en cas de chagrin ; elle que les garçons viennent embrasser chaque matin ; elle dont tous les trois réclament la visite, le soir, avant de s'endormir, avec elle qu'ils font leur prière. Ils savent bien qui est leur mère, et elle est sûre de leur tendresse.

Quant à Léonard, qui ne tarit pas d'éloges sur les compétences de la nouvelle gouvernante en ce qui concerne la tenue de la maison et l'éducation des enfants, qui vante ses connaissances, ses lectures, il aurait pu susciter la jalousie de sa femme s'il n'avait eu, un jour qu'elle lui demandait ce qu'il pensait du physique de la jeune fille, cette petite phrase – habileté ou expression spontanée d'un jugement masculin sincère : « Livia ? cette grande perche ? Ce n'est pas une femme, mais un garçon dans un corps de femme. Elle restera vieille fille. Les hommes n'aiment pas ces espèces d'androgynes. » Et il avait ri, de ce rire fat que se permettent les jolis garçons, les hommes beaux ou qui se croient tels. Hulda en avait été choquée, par solidarité féminine, par amitié pour Livia ; mais aussi secrètement soulagée : non, il n'y avait aucun risque que son mari fût tenté par la jeune fille ainsi dépeinte. Et elle avait éprouvé un redoublement d'affection, de tendresse pour la gouvernante. Elle pouvait se confier à elle. Lui dire tout. Presque tout.

Pour commencer, elle va lui demander de l'appeler désormais en toute simplicité par son prénom, Hulda, comme elle l'appelle Livia.

Qu'elles sont singulières, à Stockholm, ces journées de novembre où la nuit tombe si tôt, où le jour disparaît à peine né ! Qu'il est étrange ce temps où les bruits de la ville se voilent soudain d'une brume devenue étoupe ! Où, pour celui qui écarte doucement le rideau de la fenêtre, tout, dehors, semble devenu un peu irréel : rues nébuleuses, où les réverbères déjà allumés projettent çà et là l'incertaine lumière du gaz, dessinant l'ombre fugitive d'un passant, l'esquisse d'un fiacre, le fantôme d'une calèche.

C'est alors que Livia s'interroge, se demande si elle a bien fait d'accepter cet engagement, si sa place est vraiment dans cette maison. Bien sûr, elle n'avait pas le choix, entre l'autorité machiste de son frère à Saint-Pétersbourg, et les gémissements de sa mère à Stockholm ; entre la brutalité de la vie en Russie et le cynisme de ce qu'il lui reste ici de relations de théâtre, la décision avait été rapidement prise.

Pourtant, dans l'appartement de la Nybrogatan,

chez les époux Sèzeneau, le malaise qu'elle ressent est réel : si elle s'est attachée aux enfants, et à Hulda, dont la confiance la touche, la présence de Léonard la trouble, elle doit bien se l'avouer.

Le milieu d'affaires qui est celui des Sèzeneau ne l'intéresse pas, l'ennuie. Comment cet homme cultivé qu'est Léonard peut-il le supporter ? Elle fuit les dîners auxquels lui comme Hulda la pressent de participer. Qui rencontrerait-elle là ? Des marchands, des banquiers, des armateurs, un médecin, un ou deux juristes… Une fois, sur l'insistance de Hulda, elle avait assisté à un dîner, et s'était trouvée la voisine d'un vieux général, qui, apprenant qu'elle était la fille de Georges Bergvist, lui avait aussitôt déclaré dans le large sourire de son dentier : «Vous savez, moi, je n'aime que le classique !» fustigeant par là les étonnantes innovations du grand homme de théâtre qu'avait été son père, l'introducteur du naturel et du réalisme sur la scène. Le mépris de l'imbécile l'avait blessée. Non, elle n'est pas de ce monde-là.

Dans ces soirées, pas un homme de lettres, pas un acteur, ou, parfois, si, un malheureux fourvoyé, exhibé comme un singe savant.

Bien sûr qu'elle la regrette, cette liberté de langage, de manières, de mœurs des gens de théâtre, cette irrévérence enjouée, dans laquelle elle a toujours vécu, qui n'était pas la sienne, qu'il lui est arrivé de condamner, mais qu'elle aimait, qu'elle enviait secrètement. Comme elle redoutait et jalousait cette mère trop belle, trop libre, qu'elle jugeait mais enviait en même temps. Et ce père si séduisant, qui pouvait être si drôle et si terrible, si tendre et si odieux, ne l'avait-elle pas tour à tour adoré et haï, cet homme qui faisait si peu de cas d'elle ? Mais de qui, au reste, faisait-il cas ?

Elle se rappelle, son insolence, son absence d'égards pour les autres. Ainsi, la rudesse avec laquelle, un jour, il avait reçu dans sa loge le tout jeune Strindberg, alors simple figurant, venu lui rendre hommage, déférent, éperdu d'admiration. Et lui, sarcastique, grand seigneur – alors qu'il était déjà sur le déclin –, ne lui avait accordé qu'une minute condescendante avant de s'esquiver avec un mot cinglant. Elle, elle se trouvait là par hasard, venue porter un message de sa mère. Le jeune homme, désemparé, déçu, avait à peine fait attention à l'adolescente de seize ans qu'elle était alors, mais elle avait été autant touchée par son enthousiasme, sa sincérité juvénile, que scandalisée par l'attitude du maître.

Ces théâtreux, fascinants et effrayants, elle en a tout à la fois la nostalgie et le dégoût. On l'avait courtisée. Elle se souvient de ce comédien un peu fat dont elle était tombée amoureuse à dix-huit ans, et qui avait demandé sa main avant de fuir en apprenant qu'il n'y aurait pas de dot.

Et, plus tard – c'était peu après la mort de son père –, elle se rappelle ce vieil acteur du cercle d'admirateurs de Myrta, qui au cours d'une soirée arrosée lui avait fait les propositions les plus précises, sous l'œil goguenard de sa mère : elle voyait sans doute là l'occasion de se débarrasser d'une fille encombrante. L'amertume de ces moments, Livia la ressent encore.

Ce n'est pas pour autant qu'elle envie ses sœurs aînées et leurs mariages aristocratiques, conclus par intérêt. Mieux vaut encore, pense-t-elle, être une femme sans homme, une vieille fille, comme le lui avait dit son frère dans un haussement d'épaule, parce qu'elle faisait fi des garçons dont il avait tenté, à Saint-Pétersbourg, de lui vanter les mérites dans l'espoir, lui aussi, de la caser.

Ici, du moins, elle n'a plus le temps de penser à son avenir, et c'est bien ainsi. D'avenir, pour elle, il n'y en a pas. Il n'y en a plus. De même qu'il n'y a plus, à ses yeux, d'Opéra royal de l'autre côté de la rue.

On prépare Noël. La maison n'a jamais été aussi lumineuse, aussi joyeuse, car on allume à plaisir lampes et bougies, on en met partout, jusque sur l'appui des fenêtres, et c'est beau dans la nuit toutes ces fenêtres éclairées. Les enfants, les bonnes sont tout excités à l'idée de la fête. Hulda elle-même se laisse gagner par cette gaieté. Avec Livia, elle parle de décoration de table, de sapin de Noël, de cadeaux. Comme tout semble harmonieux dans la musique des airs de Noël qu'elles jouent au piano à quatre mains, la gouvernante et elle, pour la grande joie des enfants !

À la Sainte-Lucie, le 13 décembre, on a habillé de blanc et couronné de bougies la plus jeune des petites bonnes, Anna. Tout le monde était heureux. Hulda et Livia garderont le souvenir, un jour, de ce moment où, dans la pièce obscure, la jeune fille à la couronne lumineuse avait fait son entrée. La Sainte-Lucie, n'est-ce pas une promesse de bonheur que chacun peut ressentir ?

Même Léonard avait souri, avec, sur le visage, une expression enfin détendue, lui qui ces derniers jours paraissait si sombre.

Les choses en effet ne vont pas très bien pour lui. Ce qui s'est passé, on ne le saura jamais exactement : il ne s'en explique pas, mais il parle de plus en plus souvent de l'éventualité d'un départ pour la France. Un ralentissement des affaires depuis la guerre ? Autre chose ? Mais quoi ? Qu'est-ce qui le préoccupe, l'inquiète, l'angoisse semble-t-il ? Un souci professionnel ? Est-ce, comme il le répète de plus en plus souvent, l'obligation pour lui de voir ses fils faire leurs études en France ? Alors pourquoi retarder, dit-il, un départ qui de toute façon devra se faire ? La conversation a lieu dans la chambre conjugale. Hulda pleure. Il la rassure, ce n'est pas pour tout de suite, il ne s'agit pas de partir immédiatement. Mais n'était-ce pas ce qui était depuis toujours entendu entre eux, lui rappelle-t-il ? Vivre en France, cela n'a rien de si effrayant. Et puis, là-bas, Livia les accompagnera, elle s'y est engagée. Ainsi il n'y aura rien de changé...

Pour la jeune femme en larmes, c'est presque l'argument décisif : elle a en effet le sentiment à présent de ne plus pouvoir se passer de la gouvernante.

Son mari a beau lui dire qu'ils ont le temps, Hulda veut s'assurer que rien, en cas de départ, ne retiendra Livia à Stockholm. La jeune fille lui confie alors, pour la rassurer, mais à mots retenus, l'amertume de son retour, la froideur que lui a manifestée sa mère, tout occupée d'un projet de remariage, l'indifférence de sa parenté, cousins soucieux d'alliances fructueuses, amis qui l'ont déjà oubliée ou qui regardent de haut sa condition de gouvernante. Étrange conversation entre les deux femmes, qui bouleverse Hulda, la jette dans les bras de son amie, laisse Livia plus froide, mais lui fait comprendre à quel point la jeune femme a besoin d'elle ; et cela l'émeut plus qu'elle n'aurait cru, la touche, mais lui fait un peu peur.

En faisant ces quelques confidences, elle s'est toutefois gardée d'entrer dans le détail de l'accueil que lui avait réservé l'actrice vieillissante, cette Myrta Eloquentia, jadis presque aussi célèbre que son mari. De lui raconter la surprise qu'avait manifestée la vieille coquette, maquillée et parée comme une diva, à retrouver une fille aussi sévèrement mise, le visage net de tout fard, les manières si discrètes : elle lui en avait fait reproche, comme s'intéressant à son sort, puis avait pris soudain le parti de s'en moquer grossièrement. Ce qui avait profondément blessé la jeune fille. Peut-être cette femme avait-elle eu trop d'enfants pour les aimer tous : en tout cas, elle, Livia, s'était sentie moins aimée que jamais. Sa mère, c'était le théâtre qu'elle aimait, et personne d'autre, tout comme Bergvist avait toujours été indifférent à ce qui n'était pas son art et sa gloire, magistralement méprisant du reste. Au fond, Livia l'avait toujours su, mais le redécouvrir maintenant était plus douloureux encore. Cela, elle ne l'avouerait à personne.

Bien sûr qu'elle irait volontiers en France. Quand Léonard, incidemment, lui a reposé la question, elle a répondu avec enthousiasme. Ce qu'elle ne lui a pas dit, c'était qu'elle avait le sentiment, à présent, que sa vraie famille, c'était eux, les Sèzeneau. Pour des raisons diverses.

Dans ses rares conversations privées avec Léonard, elle ne dit rien de personnel, mais elle a plaisir à lui parler de livres, de théâtre. Non, il ne sort plus guère, il n'a pas le temps. Une fois ou deux, il a accompagné Hulda à l'Opéra, mais elle n'aime que l'opérette, Offenbach. Vous la connaissez, ajoute-t-il dans un sourire. Il lui dit aussi, après une hésitation, que, pour lui, de toute façon, la littérature, c'est fini. Elle évoque alors ce jeune poète, Arthur Rimbaud... Est-ce qu'il le connaît? C'est très étonnant, ce qu'il écrit, très beau. Vous saviez qu'il était allé à Paris, il n'y a pas longtemps, retrouver Verlaine, et qu'à présent il court l'Europe? Léonard secoue la tête, il est pressé : mais ils en reparleront, n'est-ce pas?

Il est rarement à la maison, très occupé par ses affaires en ville, et souvent en voyage en Russie, en Finlande, au Danemark, plusieurs jours de suite. Parfois quelques semaines. Et, chaque fois, elle se surprend à attendre son retour avec impatience. Comme si en son absence quelque chose lui manquait.

Mais, une fois, il s'est passé quelque chose

d'insolite, d'étrange, qui a laissé en elle un grand trouble. Peut-être parce que, à vingt-trois ans, elle est, en effet, une quasi vieille fille, qu'elle n'a jamais approché d'homme, qu'elle a mené une vie si bizarrement chaste.

Elle avait choisi une chambre voisine de celles des enfants afin de pouvoir intervenir la nuit en cas de besoin. Or, une nuit de ce mois de décembre, elle dormait profondément quand la petite Louise s'est réveillée en proie à un cauchemar assez effrayant pour qu'elle se mette à hurler. Livia, plongée dans le sommeil, ne l'a pas entendue tout de suite. Quand elle est accourue, en chemise de nuit, Léonard était déjà là, debout près du lit, la petite fille serrée dans ses bras, et il essayait de la calmer en lui parlant à voix basse.

Interdite, la gouvernante s'est excusée : elle était désolée, vraiment, de ne pas avoir réagi plus tôt... Il avait souri, et dit que c'était bien naturel. Lui, par hasard, n'était pas encore couché, il travaillait, et il avait entendu. Sa femme, elle, dormait depuis longtemps, de ce sommeil profond qu'elle avait retrouvé depuis sa grossesse.

Tout en parlant, justifiant sa présence comme s'il s'excusait en somme d'être dans cette chambre, il la regardait. Et elle sentait ce regard aller de son visage aux étonnants cheveux couleur de cuivre, dénoués, à ses épaules nues, aux formes que dessinait la chemise blanche. Puis, très vite, avec une sorte de gêne, il lui avait remis l'enfant – et dans ce geste, un instant, ses mains à lui avaient frôlé le bras, la poitrine de la jeune femme –, puis, après lui avoir souhaité gauchement une bonne nuit, il avait quitté la pièce.

Elle avait doucement remis la petite dans son lit, l'avait bordée. Ensuite, elle était restée quelques minutes auprès de l'enfant déjà rendormie, comme dans le besoin inconscient de prolonger ce moment, de garder dans son corps une sensation étonnamment délicieuse.

Ce sera, alors, le seul moment équivoque de sa relation avec le maître de maison.

Ils ne le savent pas, aucun d'entre eux ne le sait encore vraiment, mais un temps de leur vie est en train de se terminer, celui qu'ils appelleront plus tard le temps de Stockholm.

La dernière image heureuse qu'ils en auront, en tout cas la plus haute en couleur, ce sera celle du repas de Noël de cette année 1873, qui rassemblera toute la famille : les époux Christiansson, venus de Göteborg, Charles et sa jeune épouse, de Norrköping, Anders, Hulda et Léonard, leurs trois enfants, Livia, les deux bonnes, le valet, la cuisinière, deux employés de Léonard. Tout ce monde-là rassemblé autour de la longue table de la salle à manger, brillamment dressée dans un grand luxe de bougies. Au fond de la pièce un immense sapin que Livia et Hulda ont mis deux jours à décorer de boules rouges, de guirlandes, d'une multitude de petits sujets en bois. Et les cadeaux au pied de l'arbre. Et le ronflement chaleureux du grand poêle de faïence blanc. Et, dehors, la neige, une neige épaisse, qui recouvre tout, rues et toits, et continue à tomber en flocons ininterrompus derrière les carreaux.

Du monde extérieur on n'entend rien, à peine parfois le grelot d'un traîneau, l'écho assourdi d'un chant quand s'ouvre une porte avant qu'elle se referme. Chaque maison comme une bulle reclose sur sa quiétude. Et au-dessus, la nuit magnifique, pleine d'étoiles.

On dirait que tout va bien, que ce bonheur sera éternel. Hulda le croit, qui sent son enfant bouger en elle et semble presque oublier l'ombre mauvaise qui vient parfois la troubler. Et les Christiansson, enfin rassurés sur le destin de leur fille, et Charles, heureux de son propre bonheur et de celui de sa sœur. Et même Anders, qui fait le clown pour les enfants aux anges et s'amuse comme eux avec eux. Et Livia, qui croit avoir trouvé une nouvelle famille.

Il n'y a que Léonard à nourrir, derrière un sourire de commande, un souci grandissant. Il pressent, il sait plus ou moins, qu'il va falloir quitter la Suède plus tôt qu'il ne l'avait lui-même prévu. Qu'il va falloir en parler à sa femme. Qu'elle ne le supportera pas. Qu'il y aura des larmes, des déchirements. Et qu'il faudra lui faire vivre cela, ce départ, ce voyage, cette entrée dans l'inconnu, à elle et aux enfants.

On chante très haut les beaux chants de Noël suédois, on boit et on mange, on rit, le banquier Christiansson fait un petit discours familial, on porte un toast, on joue du piano, on danse, les enfants épuisés finissent par s'endormir sur un sofa. C'est l'image du bonheur, telle qu'on peut la rêver à Noël.

Comme une pause étonnante, irréelle, hors du temps.

Comme si c'était cela, la vie, pour toujours.

Le bébé va naître par une nuit glacée de janvier. Léonard n'était heureusement pas en voyage. C'est lui qui envoie chercher la sage-femme, celle qui avait déjà deux fois accouché Hulda à Stockholm. Tout se passe presque aussi bien qu'alors, à ceci près que, cette fois, la jeune mère est très fatiguée et étrangement nerveuse.

L'enfant est une petite fille qu'on appellera Eugénie ; elle n'est pas aussi jolie que Louise, mais sa drôle de frimousse ravit tout le monde, et c'est un bébé très calme. Hulda tient à la garder dans sa chambre et s'obstine à la nourrir en dépit de l'avis du médecin.

Les enfants accompagnés de la gouvernante viennent voir leur nouvelle petite sœur. Ils sont heureux, mais un peu effrayés par sa petitesse et son aspect fripé, comme par l'air maladif de leur mère qui les reçoit couchée, et si pâle.

Livia, elle, est extrêmement troublée par cette intimité, ce dévoilement sans pudeur des réalités charnelles. Elle se souvient de la naissance de ses sœurs, mais cet enfant-là, cet enfant étranger, qu'elle sent bizarrement proche d'elle, ce n'est pas la même chose. Elle regarde le nouveau-né qu'on a reposé dans son berceau et prend conscience de ce que signifie la création d'un être par un homme et une femme, cet homme qu'elle admire, qui l'attire plus ou moins consciemment, et cette femme qu'il aime, de toute évidence, et pour laquelle elle éprouve, elle, un mélange de tendresse et d'agacement. D'envie, peut-être, devant l'apparente facilité de son bonheur. De cette maternité. Et la vue de ce bébé, de cette petite chose vivante, l'étonne, la trouble. Comme le mystère de l'accouchement. Car si elle croit tout connaître de la vie pour avoir vécu dans le milieu si libre du théâtre et avoir beaucoup lu, son corps, lui, est ignorant.

Elle sursaute quand Léonard, qu'elle n'avait pas entendu entrer, s'approche du berceau : «Vous avez vu les belles petites mains qu'elle a, ma fille?» fait-il en soulevant délicatement la main minuscule du bébé pour la montrer à la gouvernante. Livia, surprise, acquiesce, félicite maladroitement le père. Lui aussi l'agace un peu, avec sa naïve fierté de père. Puis, prenant prétexte de la fatigue de l'accouchée, elle se met en devoir d'emmener les enfants.

Ils embrassent leur mère. Et, timidement, la jeune fille demande si elle peut, elle aussi, se permettre de l'embrasser.

Rien ne pouvait davantage toucher Hulda, qui lui adresse son étonnant regard d'enfant, si bleu, si candide, en la serrant contre elle avec une vraie tendresse.

Elle ne voit pas, elle n'a pas pu voir, le visage de celle qui l'embrasse.

La vie reprend, *simple et tranquille*, du moins en apparence. Plus d'un mois a passé depuis la naissance de la petite Eugénie. Tout se déroule apparemment bien. Ils ne savent pas, dans la quiétude du joli appartement de la Nybrogatan, ce qui se prépare, ce qui va arriver, former l'histoire dont déjà tous les éléments se rassemblent.

C'est dans le salon, cette pièce lumineuse où Livia avait été reçue le jour de son arrivée, en septembre dernier, que Léonard apprend officiellement qu'il faut quitter Stockholm. Une lettre apportée un matin par la petite bonne aux cheveux de lin, silhouette longiligne dans la robe noire sous le frais tablier blanc. «Pour Monsieur», a-t-elle dit en lui tendant le courrier avec une révérence avant de quitter la pièce.

Une lettre. La lettre de Bordeaux. Attendue et redoutée. On annonce à Léonard Sèzeneau qu'il faut partir. Il sait pourquoi. C'est la confirmation de toutes ses craintes.

Quand? Au plus vite, lui dit-on. La situation

à Bordeaux est confuse. Il doit s'organiser sans retard.

Évidemment, il n'avait pas compté avec la naissance du bébé, la difficulté de voyager avec un si jeune enfant, de se réinstaller dans ces conditions… Où ? À Paris, ou tout près, lui dit-on, afin qu'il soit à même de voyager entre Bordeaux, son port d'attache, où il aura à rendre des comptes de façon beaucoup plus stricte, et Stockholm, et éventuellement Saint-Pétersbourg. Car il aura encore des missions, moins fréquentes, moins importantes, certes, mais intéressantes. C'est à prendre ou à laisser, encore une fois. S'il donne son accord, l'entreprise dont il dépend se charge de lui trouver un logement qui convienne à lui et sa famille.

Quitter déjà la Suède… Quitter cette ville où il s'était fait une place, où on reconnaissait son talent, son autorité, sa séduction. Est-ce qu'il sait encore ce qu'est la France ? N'est-il pas complètement étranger à la République qu'elle s'est donnée ? Et son protestantisme, si conforme ici au modèle commun, comment sera-t-il reçu là-bas ? N'était-ce pas pour fuir l'ostracisme de ses compatriotes qu'il était parti tout jeune pour l'Angleterre ?

Avant même d'annoncer la nouvelle à sa femme, Léonard envoie son accord à la société des frères Lenoire, ses employeurs directs à présent. Hulda, il sera bien temps d'affronter ses larmes.

Il est en train de rédiger posément sa réponse

lorsque la jeune femme survient, le bébé dans les bras, souriante, détendue, bien loin d'imaginer ce qui se passe. Il sonne la bonne, clôt sa lettre, la lui remet : que cela parte au plus vite.

Hulda ne demande pas de quoi il s'agit : ce sont les affaires de son mari. Elle lui montre en riant de joie que, maintenant, la petite Eugénie est capable de sourire.

Dehors, les cloches de la cathédrale sonnent à toute volée, célébrant un mariage ou un baptême. La vie ici continue, qui n'est déjà plus celle de Léonard et des siens.

Il ne dira rien à la jeune femme avant quelques semaines, avant d'avoir reçu les informations sur le lieu de leur nouvelle habitation et une photographie de la maison qu'on leur propose, dans une petite ville toute proche de Paris : Meudon, dont jusqu'à présent il ignorait jusqu'à l'existence.

C'est à Livia qu'il croit habile d'annoncer d'abord, discrètement, la nouvelle. Assuré de la promesse de la gouvernante qu'elle suivra la famille en France, il pourra plus aisément affronter le désespoir de sa femme. Oui, bien sûr, elle comprend, qu'il ne s'inquiète pas : elle sera fidèle à ses engagements.

Mais quand il affronte Hulda, la réaction de celle-ci est aussi violente que si, de ce départ, on n'avait jamais parlé. Cris, larmes, sanglots. Ce n'est pas possible ! Comment ? Dans un mois ? En mars ? Si vite, quand rien n'est prêt, avec un enfant si jeune ! Est-ce qu'il a pensé à la fatigue du voyage, pour le bébé, pour elle, pour les enfants, et pour trouver quoi à l'arrivée, quels meubles, quels domestiques ? Oui, Livia sera là, mais les bonnes, la cuisinière ? Et quitter Stockholm où ils étaient si heureux ! Et la Suède ? Son pays, celui des enfants, le pays où ils ont appris à parler, à vivre ? Comment a-t-il pu décider de tout cela si rapidement, sans lui en parler ? Et sa famille qu'elle ne verra plus ? Sont-ils au courant, à Göteborg ? Comment croit-il que les Christiansson vont réagir ?

Impavide, Léonard laisse s'écouler le flot des larmes et des récriminations ; debout devant la fenêtre, les mains dans les poches, il regarde sans le voir le spectacle de la rue.

Affaissée sur un sofa, la jeune femme pleure doucement maintenant, recroquevillée sur elle-même, la tête entre les mains, lorsque Livia survient, alertée peut-être par les bonnes, qui ont entendu et déjà compris. À la vue de ce chagrin, de cet effondrement, elle est sincèrement bouleversée, alors que, au fond d'elle-même, depuis qu'elle sait la nouvelle, l'idée de partir la ravit, la transporte d'elle ne sait quel espoir d'une autre vie, d'un ailleurs, d'un vrai commencement. Quitter la Suède, elle veut bien, du moment qu'elle reste avec eux, les Sèzeneau. Vite, elle s'assied auprès de Hulda, la serre dans ses bras, la berce comme un petit enfant avec des paroles d'apaisement : « Mais je serai là, avec vous, avec les enfants… Vous verrez, rien ne sera changé… Tout ira bien… Nous referons tous ensemble un petit Stockholm... Et puis, la France, c'est merveilleux ! Moi, j'ai toujours rêvé de vivre en France ! Et tout près de Paris, Hulda, Paris ! »

Mais Hulda secoue tristement la tête.

Léonard, excédé, quitte la pièce en haussant les épaules.

Et les deux femmes sont là, dans les bras l'une de l'autre, ensemble et séparées, avec tout cet inconnu qui s'ouvre devant elles, qui les unit et, déjà, les sépare.

En effet comme tout cela va vite. Et que chacun joue bien son rôle dans cette curieuse comédie. Mis au courant, le banquier Christiansson s'indigne, tempête : on lui cache quelque chose, comment se fait-il qu'il n'ait rien su avant ? Que signifie ce départ précipité, comme si son gendre avait le diable aux trousses ? C'est incompréhensible ! Il saura le fin mot de cette affaire ! Il faut qu'il se soit passé quelque chose, qu'il y ait eu une faute grave. Quelle honte !

La pauvre Sigrid Christiansson ne comprend pas davantage, mais pleure, se désole surtout à l'idée d'un tel voyage pour sa fille à peine remise de l'accouchement, s'inquiète pour le bébé. Elle n'arrive pas à se faire à l'idée de la séparation, d'un éloignement bien plus grand cette fois qu'entre Göteborg et Stockholm. Elle ne peut accepter de savoir sa fille, ses petits-enfants au loin, dans un pays étranger. La France, Paris, Meudon, cette petite ville au nom improbable et qui lui semble l'enfer, quelle folie, mais quelle folie !, répète-t-elle.

On tient conseil avec Charles, le fils aîné, l'avocat, accouru, lui aussi navré de ce qui se passe.

À Stockholm, Hulda ne récrimine plus, ne gémit plus, mais pleure en silence, résignée. Elle respecte la volonté de son mari, le défend devant les accusations des siens, ne veut rien entendre de certaines insinuations du banquier, et prépare le déménagement.

Quant à Anders, tout de suite prêt à faire chorus avec la famille contre Léonard qu'il déteste, si la nouvelle du départ pour Paris le surprend, il voit là pour lui-même une occasion inespérée de changement : fatigué de la routine de ses études à Uppsala, pourquoi ne les poursuivrait-il pas à Paris, à la Sorbonne ? Il pourrait ainsi veiller sur sa sœur et les enfants. Il est si enthousiasmé par son projet qu'il convainc son beau-frère : c'est lui qui partira le premier, il cherchera une chambre d'étudiant pour lui à Paris, s'inscrira en faculté et ira même en éclaireur inspecter la maison de Meudon et préparer l'arrivée de la famille.

Les enfants, eux, sautent de joie à l'idée d'un départ, d'un grand voyage, de la découverte d'une nouvelle maison.

Léonard reprend un peu de sa superbe un moment ébranlée. Tout ira pour le mieux : il veut croire en sa bonne étoile. À présent, il n'est que d'avancer et de faire face, comme il l'a fait à chaque moment décisif de sa vie.

Défaire. Détruire. Les déménagements ont quelque chose de morbide, d'angoissant. Même pour Livia, qui attend pourtant beaucoup de cette vie nouvelle, il y a brisure, mort de quelque chose, séparation d'étranges émotions, liées à la lumière particulière d'un jour, d'un soir dans cette maison aimée. Mais c'est bien sûr pour Hulda que l'abandon de l'appartement de Stockholm est le plus cruel.

Léonard a dit qu'on n'emporterait rien, aucun meuble. Pas même les rideaux, les tentures : on trouverait tout là-bas. Il ne fallait emballer qu'une partie de la vaisselle fine, des beaux verres et de l'argenterie, les objets personnels, quelques tableaux. Le reste serait vendu.

La jeune femme court d'une pièce à l'autre, ravissant ici un vase, là une statuette, une icône russe qu'elle veut soustraire aux déménageurs et dépose sur la grande table de la salle à manger, qui prend bientôt une allure de salle des ventes.

Même sa garde-robe a été revue et censurée

par son mari : là-bas, selon lui, elle n'aurait pas besoin de tout cela ; notamment les robes de soirée, ou ce manteau trop élégant, et surtout cette fourrure qu'elle ne porterait pas tant la température est clémente à Paris, disait-il. Et c'est avec un serrement de cœur qu'elle doit se séparer de ces vêtements qui avaient fait pendant presque quatre ans partie de sa vie, constituaient peut-être même, lui semblait-il, l'être qu'elle avait essayé de devenir.

Mais elle observe que Léonard, lui, tient à emporter deux smokings et deux redingotes, et le manteau de fourrure qu'il endossait les jours de grand froid : pour lui, les déplacements dans les pays nordiques ne sont pas terminés, assure-t-il. Et il se fait comme une angoisse en elle, un bizarre sentiment de défiance, à percevoir cette différence dans l'appréciation de leurs destins.

Aidée de Livia, elle explore le trousseau des enfants : on donne ou on jette tout ce qui est trop petit, mais aussi tout ce qui là-bas ne sera pas utile. Elle a le cœur fendu de se séparer des petites chemises, des minuscules chaussures d'autrefois, et plus encore des bonnets de fourrure, des bottes en peau de phoque, comme si c'était aussi cela, quitter la Suède. Quant aux jouets, il ne faut emporter que le strict nécessaire, a averti Léonard. Chevaux à bascule, ours en peluche géants, bateaux à voile d'Isidore, dînette de porcelaine de la petite Louise, vous resterez là, fantômes d'une vie qui n'existe plus. Livres chéris aux belles images parmi lesquels il faut opérer un tri sévère, contes suédois tant de fois lus à haute voix, on doit vous abandonner.

Les messageries sont venues chercher les malles contenant ce qui avait échappé au désastre. Hulda ne garde avec elle que quelques valises, avec ses bijoux, ses effets personnels et ceux des enfants. Léonard son habituel nécessaire de voyage. Quant à Livia, elle partira comme elle était venue, avec une simple valise.

Les deux derniers jours sont étranges, dans l'appartement vidé de tout souvenir personnel et de la plupart des meubles, précipitamment vendus. C'est devenu un lieu irréel, où l'on est en transit, dans l'inconfort matériel et moral de qui n'a plus vraiment d'assise, la nostalgie de ce que l'on quitte, l'impatience inquiète de ce vers quoi l'on va.

Les bonnes, qui ont déjà hérité de vêtements et de beaucoup de petits objets, convoitent maintenant les géraniums roses qui, l'hiver, bordent la grande baie du salon : Hulda, bien sûr, leur dit de les emporter. Et, devant cette fenêtre vide, on a l'impression que c'est l'âme de la maison qui, cette fois, s'en est allée.

La voiture est là, qui va conduire la famille à la gare. Hulda, les enfants et la gouvernante sont déjà installés. Les chevaux piaffent d'impatience. On attend Léonard, qui doit faire un dernier tour d'inspection de la maison. La jeune femme s'impatiente. « Livia, ma chérie, si vous alliez lui dire qu'on l'attend, que le temps presse ? »

Livia monte en courant l'escalier. Sur le palier où traîne un peu de la paille des déménageurs, la porte est restée grande ouverte... Elle parcourt les pièces vides avec un léger serrement de cœur, le grand salon, le petit où on l'avait accueillie le premier jour, les chambres dont les portes béent... Enfin, la nursery.

C'est là qu'elle trouve Léonard, debout devant la fenêtre, immobile, comme souvent. Surprise, elle reste à l'entrée de la chambre, un instant indécise avant de lui transmettre le message de Hulda : elle n'en a pas le temps. Il a déjà marché vers elle, et, sans la regarder, sans un mot, il la serre dans ses bras si étroitement que, si elle vou-

lait lui échapper, elle ne le pourrait pas. Mais elle
ne le veut pas, elle ne le veut pas du tout. Ce
qu'elle ressent, ce ravissement de tout l'être,
c'est, en beaucoup plus fort, beaucoup plus
impétueux, ce qu'elle avait éprouvé ce jour déjà
lointain de décembre, où, dans cette même
chambre, leurs corps s'étaient frôlés. Il le sait, il
le sait sans doute, et qu'il n'est pas besoin de
paroles. Comme s'il s'agissait de quelque chose
d'infiniment naturel. Ils s'étreignent dans le bonheur, comme après une longue absence, comme
si leurs corps se reconnaissaient. C'est seulement
alors qu'ils se regardent, qu'ils se voient l'un
l'autre, dans un acquiescement absolu de ce qui
arrive, de ce qui se passe en eux et qui avait
commencé, ils le savent maintenant, dès leur
rencontre de Saint-Pétersbourg. Et quand ils
s'embrassent, le baiser qu'ils échangent, si long,
si violent qu'il soit, a quelque chose de curieusement tendre.

Puis, comme enfin il desserre son étreinte :
«Descendez la première, j'arrive», dit-il simplement.

Et elle, sans plus le regarder, éperdue, mais
cherchant à garder l'apparence du calme, retra-
verse en courant l'appartement, dévale l'escalier,
et, à peine un peu décoiffée et les pommettes
encore roses, atteint la voiture en attente.

«Eh bien, s'exclame Hulda, vous l'avez vu ?
Qu'est-ce qu'il fabrique ?

— Une des fenêtres ne fermait pas. Monsieur
arrive», répond la gouvernante avec la plus grande

assurance, tout en s'installant à son tour dans la voiture à côté des enfants.

Quand Léonard les rejoint, quelques minutes plus tard, rien sur son visage, ni dans son comportement, ne porte la trace de ce qui s'est passé. Il prend place à côté de sa femme et donne le signal du départ.

MEUDON

1874-1877

Je l'ai devant moi, la photographie de la maison. La maison de Meudon. Cette photo envoyée à Léonard et sur la foi de laquelle il a arrêté son choix.

C'est une grande maison blanche, d'aspect bourgeois, ce qu'on appelle encore, je crois, une maison de maître, avec, semble-t-il, d'assez grandes pièces au rez-de-chaussée, sans doute plus petites au premier étage, des fenêtres en nombre, et, sur la façade, trois portes-fenêtres qui ouvrent sur un petit perron et quelques marches descendant au jardin. Un jardin à la française, avec des bordures de buis et une allée de gravier. Deux grands arbres, peut-être les seuls : la photo ne permet pas de juger de l'étendue du terrain.

Au premier étage assez de chambres pour loger cette famille de sept personnes. Et, sous le toit, tout le long de la façade, ces petites fenêtres en saillie appelées «chiens assis», qui indiquent la présence de plusieurs greniers et chambres de bonnes.

Une belle maison, qui pourrait être celle d'un notaire, d'un magistrat, sise près de la gare, dans un quartier résidentiel.

Meudon, aujourd'hui banlieue chic à cinq minutes de Paris, était alors un bourg provincial.

Ils sont arrivés, ils s'installent, les enfants avec des cris de joie : une vraie maison, ils trouvent que c'est beaucoup mieux qu'un appartement, même luxueux. Tout ravit les deux garçons, et aussi la petite Louise, le jardin, la maison elle-même, son large escalier de bois, le dédale des pièces inconnues, les greniers vides, intrigants, où très vite on leur interdit de monter. Les adultes sont moins enthousiastes : le confort est loin d'être celui de l'appartement de Stockholm, notamment les salles de bains et les cabinets de toilette, vétustes, équipés de brocs à eau, une eau qu'il faut faire chauffer à la cuisine, ances-trale et assez malpropre, se lamente Hulda. Et puis la maison est glaciale... On est au début d'avril, le printemps est froid et pluvieux, et, contrairement à ce qu'avait annoncé Léonard, il ne fait pas chaud en France, surtout dans cette maison inhabitée depuis plus d'un an. Le chauf-fage, un calorifère au charbon, ancien, fonc-tionne mal, tombe constamment en panne. Il y a heureusement une cheminée dans la grande pièce du bas, salon et salle à manger à la fois, où l'on a réussi à faire du feu. C'est là qu'on se tient l'après-midi quand le temps est mauvais, là qu'on passe les soirées. Mais les meubles sont laids, les rideaux tristes, les tapis râpés.

Pour ce qui est des domestiques, l'agent qui loue la maison avait recommandé une cuisinière et deux bonnes. Comme le temps presse, elles sont engagées sans plus de considérations. La cuisinière est une veuve d'âge mûr qui logera à la maison. Mais les deux bonnes, Henriette et Berthe, deux gamines de dix-huit ans, veulent pouvoir rentrer chez elles le soir. Hulda s'apercevra vite que ce sont deux pestes, qui feignent de ne pas la comprendre et n'en font qu'à leur tête. Heureusement, Livia parle bien français et sait se faire obéir. Très vite, les domestiques apprennent que c'est d'elle qu'on prend les ordres. Quant au maître, il est toujours absent, ou enfermé dans une petite pièce du rez-de-chaussée, à l'angle de la maison, dont il a fait son bureau, et il semble ignorer ce qui se passe ailleurs.

Léonard est en effet moins présent que jamais : il a une foule de problèmes administratifs à régler à Paris et à Meudon. Il doit se rendre assez régulièrement à Bordeaux, d'où il revient la mine sombre. Et il a, en perspective pour l'été, un voyage en Suède et en Finlande, long, mais selon lui d'une importance capitale.

L'inconfort de la grande maison, la tristesse de ses pièces sans âme, est une épreuve, pour les nouveaux arrivants, en tout cas pour Hulda. Rien non plus, semble-t-il, à attendre de l'extérieur : quand la jeune femme, le jour de leur arrivée, depuis le fiacre qui les amenait de Paris, a découvert la petite ville, noire, étriquée, malpropre, ses rues vides, privées de vie, ses immeubles de rapport crasseux, elle a seulement murmuré : « Mon Dieu, mon Dieu ! » On était loin de Stockholm la lumineuse, loin des façades altières de la Nybrogatan.

Un peu à l'écart du centre de Meudon, la rue où se situe leur maison est certes plus claire, plus aérée, bordée de quelques maisons bourgeoises, à demi dissimulées par leur jardin : mais, ici, chacun vit pour soi, comme caché, dirait-on. C'est une rue déserte, ennuyée, silencieuse, n'était, plusieurs fois par jour, le passage bruyant, en contrebas, du train de Paris à Bellevue via Meudon. Cette proximité de la gare, de la voie ferrée qu'elle longe, la dominant de quelques mètres, le fait que sa chaussée ne soit pas pavée, vaut à cette rue le nom agreste de « chemin de la Station ».

À l'arrivée des exilés, qui a fait pourtant quelque bruit, les habitants des villas voisines sont restés prudemment chez eux. On a simplement demandé à Livia, partie en reconnaissance dès les premiers jours à la boulangerie la plus proche, si elle était de la maison des « étrangers » : preuve que, si on ne voyait jamais aucun voisin, eux, les Suédois, avaient tout de suite été repérés, et les renseignements donnés par les bonnes abondamment commentés.

Il n'y a aucun commerce à proximité, hors cette boulangerie, et, en bordure de la voie de chemin de fer, sur la hauteur, une sorte d'estaminet, marchand de vins et spiritueux, portant sur sa façade grisâtre l'enseigne pompeuse de « Caves meudonnaises ». On y trouve aussi du charbon et du bois. Mais ce n'est guère un endroit pour les dames.

Plus loin, sur la gauche, c'est le cimetière, ceint de murs de pierre au-dessus desquels émergent quelques croix.

On peut se demander ce que les voisins pensent des nouveaux arrivants, ces gens mysté-rieux, qui ne fraient avec personne. En tout cas, les langues vont bon train.

«Des étrangers! On les a entendus parler entre eux, mais en quelle langue? Suédois, il paraît! Enfin, c'est ce que dit la petite bonne qui travaille chez eux, Berthe, la fille du cordonnier. Ils auraient quatre enfants. Les petits garçons, il y en a deux, on les voit courir à travers le jardin en braillant tout ce qu'ils peuvent, mais on ne comprend rien à ce qu'ils disent. La mère, on ne la rencontre jamais en ville; le plus souvent, elle se tient au salon, on l'aperçoit par la fenêtre, un bébé dans les bras. Il est peut-être malade. Et puis il y a une autre femme, qui sort, celle-là, qui va parfois faire des courses; elle parle français, elle, même si c'est avec un accent, enfin pas comme nous. Berthe dit que c'est la gouvernante, une domestique, quoi, mais il faut entendre comment elle s'adresse aux bonnes, paraît-il, et à la cuisinière, comme si elle était la patronne. Des gens vraiment bizarres… Et vous avez vu comment elles sont habillées, les deux dames ? À la mode d'il y a dix ans, et encore ! Et des dentelles, et des cols blancs ! Quant à l'homme, le mari – mais de laquelle au fond ? –, il n'est jamais là… Un grand monsieur à moustaches, cheveux blancs, l'air pas commode, et qui se prend pas pour rien ! Il est toujours parti à Paris, ailleurs, on ne sait où. Il ne s'adresse jamais aux domestiques, et avec les autres il parle suédois… Il y a aussi une petite fille de trois-quatre ans, jolie, mais pas normale on dirait, qui se promène toute seule dans le jardin. Je l'ai vue l'autre jour qui regardait la rue à travers la grille. La pauvre gosse, à croire que personne ne s'occupe d'elle… C'est tout de même malheureux. Des drôles de gens, je vous dis… Le plus fort, c'est qu'ils ont un nom français – c'est marqué sur la boîte à lettres : Sèzeneau ; c'est français ça, un nom bien de chez nous… Alors, allez comprendre… Qu'est-ce qu'ils sont venus faire ici ? D'après Berthe, le monsieur serait négociant. Mais négociant en quoi ? ça ne veut rien dire, négociant ! »

Les nouveaux habitants de la grande maison blanche ne connaissent personne, et personne ne les connaît. Personne ne vient les voir, hors Anders, qui a fait sa réapparition, et arrive parfois, en fin de semaine, tout fringant, canotier et veste de velours noir, débarquant du train de Paris pour passer la journée en famille. Les enfants l'attendent avec impatience, il est si amusant, l'oncle Anders, il sait si bien jouer avec eux, il est si gai. Paris l'enchante : il a, raconte-t-il, une chambre rue de Tournon, près du Luxembourg, les cours à la Sorbonne sont merveilleux, et il s'est fait déjà beaucoup d'amis. Les trains sont assez nombreux de Paris à Meudon, la gare est toute proche, il promet de venir souvent.

Les distractions sont rares pour les exilés de Meudon, les journées longues. Heureusement qu'il y a le jardin pour les enfants, quand il ne pleut pas trop, et le piano, dont jouent fort bien les deux jeunes femmes, qui ont apporté leurs partitions, Liszt, Chopin, Grieg, échappées au naufrage, et aussi le répertoire de gaies chansons suédoises, qu'entonnent les enfants à pleine voix, mais qui rendent vite Hulda nostalgique. Elle s'agace, alors, de les entendre, dit aux petits qu'ils font trop de bruit, et qu'il vaudrait mieux qu'ils apprennent des chansons françaises.

Comme tout a changé ! Comment se peut-il que tout ce qui faisait son bonheur soit devenu source de chagrin ? Pourquoi Léonard est-il plus absent que jamais ? Quand il survient, rentrant d'une semaine à Bordeaux ou d'une journée à Paris, soucieux, distrait, indifférent, elle préfére-rait presque qu'il reparte tant il lui est douloureux de le trouver tel.

Quant à Livia, elle semble débordée par l'amé-nagement de la maison et a peu de temps à lui consacrer.

Les leçons de français aux enfants ont repris, en dépit de la mauvaise humeur des garçons, qui pestent contre cette langue, de l'apathie de la petite Louise qui, depuis quelques jours, se refuse à proférer un mot, qu'il soit français ou suédois, et dont tout le bonheur est d'errer dans le jardin.

Le bébé Eugénie se porte heureusement très bien, indifférente à toutes ces vicissitudes. Elle est la consolation de Hulda, sa raison d'être, avec l'espoir, bien sûr, de retrouver la tendresse de son mari.

Le reste ne devrait compter pour rien, n'est-ce pas ? Alors elle attend, mais avec le sentiment d'avoir été débarquée sur une île déserte.

Isidore et Eugène partagent une chambre, au premier, Louise et la petite Eugénie une autre, voisine de celle des parents. La gouvernante a préféré dormir dans une des chambres de service vacantes, sous le toit, malgré les objurgations de Hulda. Elle prétend que c'est sa place, qu'il vaut mieux qu'il en soit ainsi. «Mais il fait encore plus froid là-haut...» s'inquiète la jeune femme. Livia sourit. Elle n'est pas frileuse. Et puis elle adore, dit-elle, la vue qu'on a de cet étage, au loin, sur les bois.

En fait, si elle tenait à cette indépendance, c'est qu'elle s'attendait à une visite, qui n'a pas manqué de se produire, un des premiers soirs de leur arrivée : celle de Léonard.

La nuit était déjà avancée, la maison dormait depuis longtemps, elle-même s'était couchée et avait éteint la lumière quand il est arrivé. La porte n'était pas fermée à clé. Il est entré comme ça, sans un mot. Sa silhouette silencieuse soudain dans la semi-obscurité, sa présence impérieuse comme attendue, évidente.

Il s'est glissé dans son lit et l'a prise immédiatement, comme on rentre chez soi. Avec la hâte fébrile de celui qui a soif depuis longtemps et sait où est l'eau. Et elle l'a accueilli avec la même hâte que s'il s'agissait de l'époux qu'enfin on retrouve après une longue absence. Ni surprise ni cris, mais l'immédiateté du bonheur des corps qui se reconnaissent.

Le voilà donc, ce plaisir pressenti, effleuré, attendu, cette joie si violente qu'elle n'aurait su l'imaginer. Douleur et émerveillement.

Peut-être ne s'est-il pas aperçu qu'elle était vierge. Ils n'en ont pas parlé. Il n'est pas resté très longtemps dans la chambre sous le toit.

La nuit même elle a lavé ses draps à l'eau froide. Rien ne se verra, rien ne se saura.

Dorénavant, la nuit, la chambre de la gouvernante reste ouverte au maître, quand il veut, pour le temps qu'il veut. Rarement plus d'une heure. Une fois, une seule, il s'est endormi après l'amour, et en entendant les premiers oiseaux de l'aube, elle s'est secrètement réjouie qu'il soit encore là. Mais il s'est réveillé, promptement rhabillé, a disparu.

Dans son comportement avec Hulda, Livia n'a pas changé. Elle la seconde, elle l'écoute autant qu'elle peut, et elle éprouve toujours pour elle l'ancienne tendresse, nuancée peut-être d'une plus grande et étrange pitié. Parfois, en regardant la jeune femme, en éprouvant sa fragilité, sa candeur, les larmes lui montent aux yeux. Mais rien ne la détournera de son bonheur de la nuit, si fugitif et si précaire qu'il soit. Elle y a droit. C'est à elle. Ce qu'elle fait de sa vie ne regarde personne.

Vis-à-vis de Léonard, dans la journée – quand il est là –, rien n'apparaît, rien n'a changé. Sinon le regard. Oui, le regard existe entre eux : c'est le regard d'êtres qui ont l'un de l'autre une connaissance intime, profonde, mais c'est un langage silencieux, secret, invisible aux autres. Jamais le maître de maison n'a été aussi digne, aussi respectable, et, il faut bien le dire, aussi froid avec son entourage. Il semble qu'il l'était moins à Stockholm. Pourtant, tout en le craignant, les enfants l'aiment passionnément, et la moindre manifestation de tendresse de sa part est accueillie avec un bonheur d'autant plus grand qu'elles sont rares. Ils s'en contentent. À Hulda, cela ne suffit pas.

Mais ce qui peut avoir lieu dans la chambre des époux Sèzeneau, la gouvernante n'a pas à le savoir. Livia refuse de se le demander.

C'est en fonction de l'acceptation de ces règles strictes que la vie peut continuer dans la grande maison.

Ce qui inquiète davantage Livia, et beaucoup moins pour elle que pour Hulda et les siens, c'est la découverte des difficultés pécuniaires de la famille, une gêne que chaque jour dévoile un peu plus : il n'y a plus d'argent. Cet argent auquel en Suède on ne pensait même pas, cet argent qui semblait si naturel, on dirait que la source en est tarie. Non seulement on ne vit plus sur le même pied qu'à Stockholm, mais tout, même les choses les plus simples, pose à présent problème.

Ainsi, l'argent du ménage, dont autrefois on ne se préoccupait pas, on s'aperçoit qu'il est compté. Le budget dont dispose Hulda n'est plus le même, et il a fallu apprendre à économiser. Les premiers jours, on envoyait la bonne faire les courses seule au marché dans la vieille ville. Devant l'excès des dépenses, Livia, alarmée, a voulu l'accompagner et, dorénavant, lui donne des consignes strictes. Mais, en dépit des restrictions, il arrive toujours un moment où l'argent vient à manquer. La gouvernante l'a assez vite compris.

Certes on a engagé deux bonnes et une cuisinière, mais il y a des signes de déclin évidents : le vieux piano trouvé sur place est des plus médiocres : on le loue au mois, et il est hors de question d'en acheter un neuf. On se contente des rideaux et des tapis usés des précédents locataires. Rien n'a été ajouté au mobilier existant, vieillot et sans beauté. On n'a pas même fait l'acquisition de la nouvelle lampe que Livia jugeait nécessaire au travail des enfants. Léonard dit attendre des rentrées pour faire ces dépenses. La gouvernante entend bien ce langage nouveau mais se garde de tout commentaire.

On peut penser que, ce changement de statut, Léonard l'avait prévu. Il savait la vie rétrécie qui attendait la famille en France, lui qui, à Stockholm, lors du déménagement, s'était débarrassé de tout ce dont ils n'auraient jamais l'usage à Meudon : non seulement les vêtements élégants de sa femme et des enfants, mais aussi, et cela Hulda et Livia le découvrent seulement à présent en ouvrant les malles, la quasi-totalité de la vaisselle fine, des verres de cristal, de l'argenterie a disparu. Il a tout vendu sur place.

Que s'est-il passé ? Livia s'interroge, bien sûr, mais ne pose pas de questions. Ne posera jamais de questions. En revanche elle ressent les choses avec chagrin et angoisse, et se demande jusqu'à quel point Hulda a conscience de la situation, elle qui voue à son mari une confiance absolue malgré les remarques malveillantes qu'Anders s'autorise en l'absence de son beau-frère. En effet, il n'a pas caché sa surprise en découvrant la médiocrité de la nouvelle installation. Sans doute n'a-t-il jamais aimé Léonard, mais cette fois il semble qu'il formule de véritables accusations, ou tout au moins qu'il nourrisse d'étranges soupçons à son égard.

Un jour la gouvernante surprend involontairement une de ces conversations privées entre le frère et la sœur : il est en train de la mettre en garde contre son mari dont les affaires lui paraissent douteuses… Comment expliquer autrement, dit-il, reprenant les paroles du banquier Christiansson, ce départ précipité en France ? Et ces problèmes d'argent, d'où viennent-ils ? Quelle misère ! s'exclame-t-il avec un regard méprisant alentour. En est-elle consciente ? Tout cela cache quelque chose. Et il emploie pour qualifier son beau-frère cette expression suédoise peu élégante mais imagée : *Hon har inte rent mjöl i pasen*, mot à mot « il n'a pas de farine propre dans le sac », ce qui signifie qu'il n'est pas très net, et même malhonnête. Hulda s'indigne, proteste, pleure, mais c'est dit. Livia, qui n'avait fait que traverser la pièce, affecte de n'avoir pas entendu.

À Hulda, qui, ensuite, va vouloir lui confier son désarroi, elle oppose dès les premiers mots une fin de non-recevoir. Il ne lui appartient en aucune façon, dit-elle, d'aborder ce sujet, et encore moins de se permettre un jugement à propos de la personne dont elle est l'employée. Protestations de son interlocutrice : « Mais, Livia, voyons, vous n'êtes pas une employée ordinaire. Vous le savez bien… Vous êtes mon amie… » Et la jeune femme, bouleversée, d'éclater en larmes ; des larmes que la gouvernante fera mine de ne pas voir.

C'est avec cette dérobade que naît peut-être entre elles le premier malentendu. D'ailleurs, curieusement, c'est en français qu'avait soudain répondu la gouvernante et que s'était poursuivie la conversation, d'où le vouvoiement soudain surprenant entre elles.

Assurément il a dû se passer quelque chose pour expliquer ce départ si prompt de la famille en France, pour justifier le changement de situation de Léonard Sèzeneau : il en a le secret. Ce dont il s'agit, elles ne le savent ni l'une ni l'autre. Sans doute ne veulent-elles pas plus l'une que l'autre l'apprendre. Mais, ce qu'elles savent bien, c'est qu'il leur faut continuer à vivre, même s'il y a cela, cette chose inconnue, secrète, cachée, et peut-être bien d'autres.

Néanmoins, il est entendu que le négociant doit faire début juillet un long et important voyage en Suède et en Norvège. Il en attend beaucoup. Peut-être craint-il que ce ne soit le dernier.

Les deux jeunes femmes vont se retrouver seules avec les enfants pour deux mois, et seules pour de bon ; car jusque-là la présence intermittente de Léonard, pour fantomatique qu'elle fût, était tout de même une présence. Et quelle présence.

Au début, pour réagir au chagrin du départ de son mari, Hulda fait effort sur elle-même et décide, pleine de bonnes résolutions, d'organiser mieux sa vie quotidienne. Le matin, elle se lèvera tôt et, de onze heures à treize heures, elle donnera aux garçons des leçons de calcul et d'écriture. Mais, très vite, elle renonce, trop fatiguée. Pourtant quand Livia propose de la remplacer, elle s'insurge : Livia, c'est le français qu'elle doit enseigner, pas autre chose. Elle reprendra ses leçons de calcul, elle y tient, dès que sa santé le permettra « avec l'aide de Dieu », comme elle dit de plus en plus souvent. Car elle a renoué avec sa piété d'autrefois. Elle s'avise même qu'il y a un temple protestant à Bellevue : ce n'est pas trop loin, on peut y aller à pied. Elle prend contact avec le pasteur, un homme à la longue figure dont la visite, un après-midi, mettra en fuite les enfants. Elle assiste un dimanche ou deux au culte, sans Livia, qui n'y tient pas, résolument indifférente, elle, en matière de religion. Puis elle se lasse. «C'était vraiment trop ennuyeux...» confesse-t-elle à son amie avec une petite grimace enfantine.

Elle essaie d'aller à Paris qu'elle ne connaît toujours pas, sous la conduite d'Anders, et revient épuisée et déçue. Il pleuvait. Elle n'a rien pu voir. La circulation, les omnibus, les fiacres, la foule, les lumières, tout cela l'a affolée, mise en fuite. Et le spectacle de vitrines tentatrices, alors qu'elle ne peut rien acheter, a achevé de la dégoûter de la ville. Une autre fois, un jour de beau temps, son frère l'emmène à Versailles, qui l'éblouit ; malheureusement, le petit Trianon, qu'elle tenait particulièrement à visiter, était fermé ce jour-là, et elle s'en désole, elle qui voue un culte sentimental à Marie-Antoinette. «Finalement, soupirera-t-elle à son retour, je suis encore mieux à Meudon...» L'évasion, alors, c'est dans la lecture qu'elle essaie de la trouver : ainsi, plongée dans un mièvre roman sur Mme Récamier, elle en oublie l'heure et s'accuse dans une lettre à sa mère de perdre son temps et de négliger ses devoirs de maîtresse de maison.

Le matin, elle peine plus que jamais à se lever. Quelquefois, l'après-midi arrive sans qu'elle soit prête, ni habillée ni lavée. Elle pleure. Dit qu'elle n'est décidément bonne à rien, mais qu'elle va se ressaisir, il le faut absolument. Son angoisse, c'est que Léonard ne rentre et la trouve dans cet état lamentable, bien que Livia lui rappelle avec douceur qu'il ne saurait être là avant septembre ou peut-être même octobre.

La seule chose qui lui fasse plaisir, l'après-midi, après la leçon de français de la gouvernante aux garçons, qui, alors, vont jouer au jardin, c'est, «maintenant qu'elles sont tranquilles», de faire du piano avec Livia, ou, s'il fait beau, de s'installer avec elle sous la tonnelle et de lui demander de lire à haute voix un roman ou des poèmes. Pendant ce temps, les enfants mènent leur vie, se livrent à leurs jeux de sauvages où, à présent, ils entraînent la petite Louise, au grand étonnement des bonnes qui s'effarent de les retrouver les jambes griffées de ronces et les mains terreuses, et disent bien haut qu'elles n'ont jamais vu d'enfants pareils.

Parfois, si le ciel est gris, les deux jeunes femmes s'installent près de la cheminée. On a fait du feu, même si c'est l'été, même si le bois commence à manquer. Hulda a toujours froid. «C'est curieux, dit-elle, je n'étais pas comme ça à Stockholm... Mais ici, le temps est si bizarre! Ou cette maison, peut-être?»

Elles bavardent, en suédois, parlent de tout, de rien, Livia circonspecte, Hulda volubile : «Parlons ensemble, voulez-vous, ma petite Livia, parlons, je ne sais rien de vous. Ou si peu...» Quand elles s'expriment en suédois, où le vous de politesse n'existe pas, où le seul pronom *du* permet de s'adresser à l'autre, il y a entre elles une telle proximité, une telle intimité qu'elles se sentent plus naturellement unies. Ce *du* sonne pour elles comme le *tu* français...

Ce jour-là, la jeune femme a voulu savoir si Livia avait jamais été amoureuse. Mais si, bien sûr, elle l'a été, elle l'est encore, lui répond la gouvernante. Hulda s'étonne, interroge. Et de qui ? En Suède ? Oui, ça s'est passé en Suède, dit Livia, sérieuse. Et vous ne m'avez rien raconté ! lui reproche avec tendresse son amie. « Non. Pourquoi vous aurais-je parlé de cette histoire, sans doute vouée à l'échec... » Livia n'en dit pas plus, reste sur l'esquisse d'une aventure contrariée, mais d'un amour partagé et intense. Hulda est émue, compatissante. Demande si ce jeune homme vit à Stockholm, s'ils sont restés en correspondance. Oui, il est en Suède. Elle ne peut lui écrire qu'à la poste restante, à cause de la famille, résolument opposée à un mariage. Lui n'a pas son adresse. Elle n'a pas voulu la lui donner. Elle ne recevra donc pas de lettres.

« Mais, suggère Hulda, s'il sait que vous êtes à Meudon – et il le sait, n'est-ce pas ? –, peut-être vous écrira-t-il lui aussi à la poste restante ?

— Vous croyez ? demande avec une fausse ingénuité la gouvernante.

— Certainement ! il faut absolument que vous alliez voir là-bas si du courrier vous y attend, ma chérie... »

Livia sourit. Elle n'avait pas pensé à cette merveilleuse idée.

À rêver ainsi, elles se laissent surprendre par le soir qui tombe. Mon Dieu ! quelle heure est-il donc ? Et les enfants qui jouent encore dehors ! Il faut les appeler… Quelle fraîcheur soudain !

C'est simplement le soir, simplement l'approche de la nuit. Mais ici, qu'est-ce que la nuit ? Ce n'est pas la nuit suédoise. C'est une nuit banale, grisâtre, triste. Elles le savent. Elles n'ont pas besoin de parler pour penser à ce qu'il y avait là-bas. Au ciel de là-bas. À sa pureté, à la profondeur des nuits d'été. Il leur suffit, par contraste, de regarder la clarté vitreuse de ce crépuscule. Et elles frissonnent toutes les deux d'un même regret du pays perdu.

Certes Hulda reçoit des nouvelles de Léonard, mais jamais assez fréquentes à ses yeux, jamais assez détaillées. Où est-il exactement aujourd'hui ? Où sera-t-il demain ? Qui a-t-il vu ? Elle est contrariée qu'il ne se soit pas arrêté à Göteborg pour voir sa mère, toujours si désireuse de savoir comment vont sa fille et les petits, là-bas, à Meudon. Mais il n'a pas eu le temps, il devait être, paraît-il, au plus tôt en Norvège.

Pourtant, se plaint Sigrid Christiansson dans une longue lettre à sa fille, il est passé tout près, à Venesborg, et n'a pas daigné venir nous voir. Elle est inquiète, elle ne comprend pas le comportement de son gendre, ni le pourquoi de ses agissements. «Ton père pense qu'il aurait quelque chose à cacher, suggère-t-elle timidement, et c'est aussi l'avis de Charles. »

Hulda voit dans cette inquiétude la marque surtout d'interventions d'Anders : s'il n'a pas sonné l'alarme – la suspicion était déjà chez les Christiansson – du moins a-t-il jeté de l'huile sur le feu en racontant à ses parents le dénuement dans lequel elle vit. Ne propose-t-il pas, maintenant, de venir s'installer à Meudon pour, comme il dit, « avoir un œil sur ce qui se passe » ?

Quand elle reçoit de tels messages, la jeune femme est prise d'anxiété pour sa mère, dont elle sait la solitude, la vulnérabilité, l'effroi dans lequel elle vit les colères de son mari, ses reproches continuels : elle aurait été trop indulgente, tout est de sa faute ; si cela n'avait tenu qu'à lui, il aurait empêché ce mariage. Mais elle s'est laissé séduire, comme sa fille ! Et de pester contre la sotte crédulité des femmes, leur incapacité générale à voir le mal. Hulda ne se représente que trop bien la scène, elle connaît la forte voix de son père, elle sait la terreur qu'il exerce sur sa femme, et elle se désole.

Si seulement elle pouvait se confier à Livia : mais, sur le chapitre de ce qui touche à Léonard, elle a encore en mémoire le silence glacial de la gouvernante. Alors elle se borne à écrire son chagrin et son inquiétude dans son journal, un petit carnet de moleskine noire, fermé d'une dérisoire serrure dorée, dont elle porte la clé minuscule attachée à son bracelet, comme une adolescente.

Autre souci, la précarité de leur existence matérielle dans l'étrange maison de Meudon devient, c'est vrai, criante. En ce mois de septembre, l'argent commence à manquer au point que la jeune femme ne trouve pas même la somme nécessaire pour retirer de la teinturerie la

146

robe qu'elle avait fait nettoyer ; ou que, faute de pouvoir payer son billet de chemin de fer, elle renonce à aller à Paris entendre le concert gratuit auquel Livia, la voyant déprimée, l'exhortait à assister. Sans parler du fait que, depuis leur arrivée, en avril, elle n'a rien pu s'acheter de neuf, ni pour elle, ni pour les enfants, et se voit contrainte de rafistoler ses robes et les vêtements des petits.

L'argent liquide, non, il n'y en a bientôt plus du tout : on attend impatiemment certaine lettre de change annoncée par Léonard, mais elle n'arrive pas.

Henriette, la petite bonne, a cassé une grande vitre du salon ; on la remplace par du carton. Ce qui a fait beaucoup rire à la cuisine.

Les bonnes s'aperçoivent que, dans cette maison, quelque chose ne va plus, et deviennent insolentes. Henriette, un mardi, s'est dispensée de venir, sans même prévenir : elle avait des courses à faire à Paris, a-t-elle répondu pour toute excuse en haussant les épaules, soutenue avec aplomb par Berthe.

Hulda aurait bien aimé les renvoyer toutes les deux, mais elle n'a pas osé, avec le retour attendu d'un jour à l'autre de Léonard : elle a besoin des deux filles. Il ne faut pas que son mari trouve la maison pareillement désorganisée. Elle voudrait tant que les choses se passent au mieux quand il rentrera. Si seulement elle pouvait rendre le cadre plus agréable, améliorer la décoration, donner à cet intérieur un peu de chaleur ! Et elle-même être plus élégante, plus belle... Mais elle ne peut se permettre la moindre dépense.

Pour comble de malheur, en ce début d'automne, le temps est devenu effroyable : il pleut, il vente, il fait froid. Dans la maison, on gèle, et la provision de bois est épuisée.

« Ce n'est rien, dit Livia à la jeune femme, qui se lamente, se dit au bord de la crise de nerfs, tout va bientôt s'arranger, tranquillisez-vous... »

Elle, elle attend avec sérénité le retour du maître.

Mais le retour de Léonard ne sera pas aussi heureux pour tous qu'on aurait pu l'espérer : fatigué, préoccupé, distrait, à peine arrivé, il s'est enfermé dans son bureau, cette pièce du rez-de-chaussée, au coin gauche de la maison, qui communique avec le salon. Même aux enfants il n'accordera qu'une attention vite impatiente. La petite Eugénie, qui se déplace partout à quatre pattes, ne lui arrache qu'un pâle sourire ; elle est pourtant délicieuse, cette Nini, comme on l'appelle maintenant, que ses frères et sœurs adorent et dont toute la maison reconnaît l'heureux caractère.

Hulda est contrariée, attristée que, même sur le chemin du retour, le voyageur n'ait pas rendu visite à sa mère, à Göteborg, et elle lui en fait amèrement reproche ; déçue aussi qu'il ne rapporte pas de nouvelles des amis de Stockholm, qu'il n'est pas allé voir. Et, inversement, comment se fait-il que ceux-ci n'aient pas cherché à le rencontrer, aussi bien les Bylund que le docteur

Thunfeld, ou même le pasteur Wilson ? Pourquoi n'a-t-il pas tenté de joindre Charles ? C'était pourtant facile de passer à Norrköping, ou à Charles de monter à Stockholm !

Quant à l'argent, Léonard attend des rentrées importantes mais, pour le moment, dit-il, il faut patienter. Ce n'est pas tout à fait la réponse que Hulda attendait. Mais, quand son mari est là, même silencieux, même d'humeur ombrageuse, combien la situation lui semble plus facile ! Elle le lui dit naïvement, avec cette spontanéité enfantine qu'il trouvait autrefois si charmante, de sa petite voix d'avant, si douce et confiante. Là, il s'est contenté d'un hochement de tête et d'un sourire triste.

Vis-à-vis de la gouvernante, il est, en public, à peine plus disert : il l'interroge sur les progrès des enfants, sur leur comportement ; parfois il lui demande ce qu'elle est en train de lire. Souhaite-t-elle qu'il lui rapporte un livre de Paris, où il se rend presque chaque jour ? il le fera volontiers. Il ne dit guère plus. Quelques mots à table, glissés d'un ton neutre dans la conversation commune avec Hulda, ou très vite, en passant, dans un couloir, ou s'il la trouve seule, debout devant une fenêtre, à regarder sans les voir les arbres dépouillés. Une petite phrase anodine avant de regagner son bureau.

Livia s'en accommode. C'est qu'elle est heureuse. Elle sait que la nuit succède au jour, et que, le soir même, cet homme apparemment si indifférent la retrouvera. Et c'est en effet ce qui se passe.

La gouvernante n'a jamais été aussi diligente, aussi efficace. Il semble même, lui dit gentiment Hulda, que l'air de Meudon commence à lui réussir : elle a quelque chose de changé, elle est en meilleure santé que jamais, et plus épanouie, plus jolie.

La grande nouveauté de ces dernières semaines de l'année 1874, c'est l'arrivée d'Anders en pension complète. Le jeune homme a donné suite à son projet : il prétexte la cherté de son loyer de la rue de Tournon pour s'introduire dans le foyer de sa sœur ; Léonard, d'abord réticent, finit par céder aux instances de sa femme, incapable de refuser au garçon l'hospitalité qu'il demande : comment pourrait-elle fermer sa porte à son frère, le petit frère tant aimé de Göteborg, qu'elle continue de chérir, même si les insinuations qu'il s'est permis de faire à propos des affaires de Léonard l'ont profondément blessée. Mais c'est oublié, il ne dira plus rien de tel, n'est-ce pas ? Et quel bonheur de l'avoir maintenant auprès d'elle ! Les enfants, eux aussi, sont ravis.

Comment l'étudiant poursuivra-t-il ses études ? Rien de plus simple : il prétend pouvoir se dispenser sans dommage d'assister à tous les cours de la Sorbonne ; il ne se rendra à Paris que deux fois par semaine. On l'installe dans une chambre du premier étage.

Si bien que, en ce qui concerne du moins le nombre des habitants du logis, la vie recommence à Meudon comme une pâle copie du temps de Stockholm. Mais tout est bien différent, et chacun le sait.

La véritable vie de la gouvernante, c'est le soir qu'elle commence, quand toutes ses tâches accomplies, elle peut se retirer dans sa chambre, là-haut, et se préparer à attendre Léonard. À songer à sa venue. À imaginer sa présence, instant par instant. Il vient toujours très tard, jamais à la même heure, jamais avant d'être sûr que Hulda ne soit profondément endormie. Parfois il ne vient pas du tout. C'est ainsi.

Livia sait attendre. Elle aime attendre. Compter le temps, le mesurer, l'enchanter. Elle écoute dans le noir les bruits de la maison ; sait quand chacun s'endort, quand quelqu'un se lève. Elle connaît le pas traînant de la cuisinière qui occupe une chambre à l'autre bout de son étage, à l'extrémité du grenier. Elle entend le craquement léger de l'escalier quand Anders monte se coucher, longtemps après Hulda et Léonard. Les enfants, eux, sont au lit dès leur dîner terminé, et il est entendu que ce sont leurs parents qui se lèveront la nuit s'il y a un cauchemar. « Il est temps, ma petite Livia, qu'à présent vos nuits vous appartiennent », lui a dit Hulda.

Oui, à présent ses nuits appartiennent à la gouvernante. C'est bien le moins. Cela est à elle. Ce moment du temps. Ce moment de sa vie.

Elle guette le grincement d'une porte qui s'entrouvre au premier, le glissement feutré d'un pas dans le couloir, l'imperceptible frôlement d'un passage dans l'escalier, puis l'effleurement d'une présence contre sa porte. Et c'est, ensuite, l'ombre bleutée de cette porte qui s'ouvre sur celui qu'elle attend.

Outre la voix des corps qui se retrouvent et parlent le muet langage des sens, arrivent entre les amants des paroles surprenantes, des murmures secrets, des mots inconnus d'eux-mêmes, comme si, échappant à leurs personnages respectifs, ils se découvraient sans masque, dans leur véritable nature. C'est qu'il y a entre eux, derrière ou à travers la force de l'entente sensuelle, une singulière intelligence de l'âme et du cœur. Aucun immoralisme, mais un paisible amoralisme : ce qu'ils font, ce qu'ils vivent ensemble, leur est simplement naturel, étranger à la notion de péché, ou même de ce qui est bien ou mal, et leur procure le plus grand bonheur. Comme si leur rencontre était un acquiescement de tout leur être.

Quand Léonard quitte sa jeune maîtresse endormie, il redescend l'escalier aussi silencieusement qu'il est venu, et regagne la chambre conjugale. Hulda dort elle aussi, paisible, avec sur le visage cette expression de confiance enfantine qu'il aime. Il se couche auprès d'elle, et finit par trouver à son tour le sommeil. Même si cela semble un peu compliqué, tout est dans l'ordre.

Le lendemain, il affichera aux yeux de tous le visage sévère et ennuyé qui est celui de sa vie diurne, le reflet de ses soucis, de son angoisse, de l'incertitude du lendemain, pour lui et pour les siens.

Hulda n'est pas la seule à avoir remarqué la jolie mine de la gouvernante. Anders aussi, et il lui en fait compliment. Peut-être cette belle fille sera-t-elle moins farouche, isolée dans ce coin perdu, qu'elle ne l'était à Stockholm ? Désœuvré, le garçon traîne souvent à travers la maison en quête de conversation. Mais Livia accueille avec une ironie glaciale ses avances, ce qui ne laisse pas de le dépiter. Pour qui la mijaurée se prend-elle donc ?

Bientôt, il l'observe mieux, note une manière de se tenir, de marcher, de s'asseoir, qu'il ne lui connaissait pas, plus déliée, plus souple ; lui découvre un sourire nouveau, elle autrefois si austère. On dirait même que, vis-à-vis des enfants, elle a un comportement différent de celui d'autrefois, plus doux, plus indulgent. Il arrive qu'elle ait pour la petite Louise des gestes caressants qui le surprennent. Comment, cette fille si froide serait capable de tendresse ? Quelqu'un aurait-il su l'éveiller ?

À table, au cours des dîners qu'il partage le soir avec sa sœur, son beau-frère et la gouvernante, il est aux aguets. Il remarque la réserve presque excessive dont use la jeune fille avec Léonard et la douceur du regard qu'elle pose sur Hulda. Et c'est là qu'il croit voir, un soir, qu'il entre comme de la pitié dans cette mansuétude, et peut-être bien une imperceptible nuance de mépris.

Il trouve ça intéressant. Comme le sera, une autre fois, cet éclair d'intelligence complice qu'il surprend dans un regard échangé entre Livia et Léonard. Ça n'aura duré qu'une seconde, mais une seconde intense, lumineuse. C'était donc ça! Comment n'y avait-il pas pensé plus tôt? Dès lors, son attention ne se relâche plus.

Une nuit, comme Léonard quitte la chambre de la gouvernante et s'apprête à regagner discrètement celle de sa femme, il croit entendre s'ouvrir et se refermer une porte au premier... Celle d'Anders? Il s'arrête, un pied suspendu sur une marche. Mais non, tout est silencieux, rien ne bouge : il aura rêvé. Il chasse l'idée importune, poursuit sa descente.

À travers tout cela il y aura aussi Noël, mais un curieux Noël à la vérité, que ce premier Noël loin de la Suède. Un Noël sans neige, juste froid et sec, sans traîneaux ni grelots, sans chants magiques, sans nuit étoilée, ni, bien sûr, grand dîner réunissant maîtres et domestiques : les bonnes sont parties dans leur famille, la cuisinière est allée rejoindre sa fille en Normandie. Il n'y a dans la maison de Meudon que Hulda, Léonard, leurs enfants, la gouvernante, et le nouvel arrivé, Anders.

Livia a bien essayé de créer une ambiance de Noël, mais on ne sait pourquoi, ça n'a pas marché. Elle a eu beau planter des bougies dans des verres remplis de sable, les disposer tout allumées sur le rebord des fenêtres, comme on faisait là-bas, autrefois, border les vitres de coton blanc pour imiter la neige, installer un sapin dans la grande pièce du bas, le garnir de rubans rouges, préparer des tartes au sucre et des pommes givrées, ça n'a trompé personne. Au dîner que n'a pas préparé la cuisinière, partie depuis deux jours, mais la seule Livia, il n'y a pas eu de dinde mais deux pauvres poulets, ce qui a désolé Hulda – qu'écrirait-elle à sa mère pour raconter Noël? –, et fait sourire ironiquement Anders.

Les trois petits, accompagnés au piano par Livia, ont tout de même chanté des noëls en suédois, et même en français, ce qui a beaucoup plu à leur père. Il a félicité les garçons, embrassé la petite Louise. Eugénie, sur les genoux de sa mère, ouvrait de grands yeux : pour elle, c'était le premier Noël!

En revanche, pour les adultes, ce 24 décembre 1874 ne fut qu'une longue, trop longue soirée, étrange, morne, et pourtant comme inquiète, comme si quelque chose manquait, ou comme si tout cela n'était pas la réalité, mais une comédie arrangée, dont ils auraient été les acteurs involontaires. Ils regardaient les enfants, qui eux étaient naturels, occupés de leurs jouets, heureux des surprises, nullement déçus par la modestie des cadeaux.

Hulda et Livia portaient des robes noires toute simples, presque semblables, celle de la maîtresse de maison simplement égayée d'une longue écharpe rose. « De vraies petites sœurs ! » leur avait lancé Anders, narquois. Lui avait daigné pour l'occasion nouer une cravate, et sa veste noire l'aurait presque rendu élégant, n'eût été la mollesse insolente de sa posture, de chacun de ses gestes, de sa diction paresseuse.

Léonard seul était magnifique : col cassé impeccable, cravate blanche, fine redingote noire. À quoi pensait-il, assis à côté de sa femme, silencieux, regardant distraitement ses enfants jouer sur le tapis usé de la salle à manger ?

Livia s'activait, ranimant le feu dans la cheminée, courant préparer un thé à la cuisine, proposant des gâteaux aux enfants.

Elle était enfin, pleinement et avec bonheur, la servante.

Les semaines, les premiers mois de la nouvelle année passent dans ce mensonge, ce silence, cette étrangeté des choses tues, le glissement discret des pas dans la nuit, le mutisme des jours. Un printemps pluvieux s'annonce.

Un jour la gouvernante demande à prendre son après-midi : elle ira à Paris, elle veut voir l'exposition de ceux qui ne s'appellent pas encore les impressionnistes, Monet, Renoir, Sisley, qui se produisent pour la première fois, boulevard des Capucines, dans l'atelier du photographe Nadar. En fait, sous ce prétexte, ce sera la seule fois qu'elle retrouvera Léonard, de jour, et à Paris.

Lui est parti comme presque chaque matin pour le bureau qu'il occupe rue d'Aboukir. Les amants ont décidé de se retrouver en tout début d'après-midi, devant l'Opéra. Livia ne voulait pas partir plus tôt, de peur d'intriguer Hulda : l'entreprise lui semble bien assez hasardeuse, peut-être parce que c'est elle qui en a eu l'idée.

Or, dès le milieu de la matinée, il se met à pleuvoir à verse : Hulda tente de dissuader son amie de partir. Mais non, elle y tient, c'est le premier jour de l'exposition, elle ne veut pas manquer cela. La jeune femme s'étonne : elle ne savait pas Livia à ce point intéressée par la peinture ? Mais si, bien sûr ! son père lui en a donné le goût dès l'enfance ; c'était un fin connaisseur, il avait d'ailleurs rencontré certains de ces peintres à Paris, et se montrait en particulier intarissable à propos de Monet.

La gouvernante s'échappe enfin, le cœur battant, court à la gare, attrape de justesse le train de treize heures. Et c'est bientôt Montparnasse, puis l'omnibus qui la conduit place de l'Opéra. L'averse s'est un peu calmée, mais la ville est encore toute brillante de pluie sous le ciel gris.

Léonard est là, qui l'attend au pied des marches, le même et différent, digne, comme toujours, sous son haut-de-forme, mais attentionné et tendre. C'est lui qui ouvre son parapluie et la prend à son bras comme un époux sa femme, avec le plus grand naturel.

Livia goûte le plaisir d'être pour une fois en public au bras de cet homme, de se sentir aimée, élégante dans son simple ensemble gris sombre, veste cintrée, longue jupe étroite à peine étoffée de volants, heureuse de marcher avec lui comme peut le faire un couple ordinaire, à travers ces rues parisiennes que la pluie, la lumière des vitrines, les dansants reflets des trottoirs mouillés, parent à ses yeux d'une espèce de magie.

Ils ne verront pas l'exposition des impressionnistes : dans l'atelier de Nadar, requis pour l'occasion, il y a beaucoup de monde, on se presse pour entrer. Mais Léonard s'empare du mince catalogue proposé à l'accueil, le fourre dans le sac de la jeune fille et l'entraîne vers la sortie : «Ne crois-tu pas, lui murmure-t-il à l'oreille, que nous avons mieux à faire ?» Elle le suit, surprise, troublée : un instant elle s'est demandé si c'était par peur d'une fâcheuse rencontre qu'il renonçait à l'exposition, ou par vrai désir d'être seul avec elle ?

Dehors, il hèle le premier fiacre qui passe ; c'est là qu'ils passeront l'après-midi, roulant à travers un Paris ruisselant qu'éblouit le surgissement d'un soleil étrange entre deux averses. «Te souviens-tu de la promenade en fiacre d'Emma Bovary et Léon, au sortir de la cathédrale ?» Bien sûr qu'elle se souvient. Elle avait adoré ce passage. Elle oublie ses soupçons : elle est si heureuse !

À six heures, il la dépose à la gare Montparnasse. Lui rentrera par le dernier train.

Quand elle arrive à la maison, elle est accueillie par le regard sournois d'Anders. «Eh bien, ma chère Livia, cette promenade ?»

La gouvernante ne répond pas. Se contente de sortir le catalogue de son sac et de le lui tendre : «Pour le cas improbable où cela vous intéresserait ?» mais elle n'aime pas du tout le sourire ironique qu'il lui adresse en se saisissant d'un geste brusque du fascicule.

À Hulda, elle parlera avec émotion des tableaux qu'elle n'a pas vus mais dont elle a pris connaissance dans le train du retour, grâce au catalogue : c'est le bonheur de l'après-midi qui la rend éloquente et toute rose. Elle ne ment pas.

La jeune femme, qui l'écoute en souriant, pose sa main sur la sienne : « Je suis si contente pour vous, ma chérie ! Promettez-moi de refaire de temps en temps de ces petites escapades ! » Et elle lui adresse son plus radieux regard d'enfant.

Quelque chose se prépare dans la trop grande maison blanche, dans le silence des adultes, au dîner du soir, dans la tension de plus en plus évidente qui s'installe entre Anders et Léonard. Le jeune homme regimbe contre l'autorité de son beau-frère, excessive et bien mal fondée, estime-t-il. Léonard, lui, qui n'a jamais supporté sa désinvolture et sa paresse, lui reproche maintenant de façon plus ou moins explicite de vivre chez lui en parasite : n'a-t-il pas appris que la mère d'Anders continue à lui envoyer régulièrement de l'argent, argent destiné à couvrir ses dépenses à Paris, quand il habitait rue de Tournon, alors qu'il se laisse sans scrupules entretenir à Meudon. De surcroît, le garçon se montre insolent, agressif, aussi bien avec lui, Léonard, qu'avec sa sœur, qui s'en est plainte.

Depuis peu, c'est à la gouvernante qu'il s'attaque, lui cherchant querelle pour des peccadilles, un livre égaré, l'heure d'un repas modifiée, un message non transmis, le journal suédois rapporté de Paris par Léonard et dont elle s'est emparée. C'est chaque fois un petit drame auquel Livia fait face avec assurance, de ce ton glacial qu'elle sait si bien prendre. Un jour cependant Léonard intervient – la scène se passe au cours du petit déjeuner –, prenant avec vivacité la défense de la gouvernante contre le jeune garçon particulièrement agressif. Et voilà que celui-ci, pour toute réponse, dévisage son beau-frère en ricanant de la façon la plus grossière, et quitte la table. Léonard est devenu très pâle mais n'a rien dit.

Désormais, en l'absence de Léonard, Anders vient de plus en plus souvent tenir compagnie à sa sœur. Ils vont se promener dans le jardin si le temps le permet, ou s'installent au salon, près de la cheminée.

Le garçon se plaint. Il serait malade. Sans doute un ulcère d'estomac. Mais non, il ne veut pas qu'on en parle. Ce n'est certainement pas grave. Il ne veut pas voir de médecin. C'est sans doute nerveux, la contrariété. Quelque chose le tracasse, mais il ne peut en parler.

Sa sœur le presse de se confier. Alors, d'une voix hésitante, il évoque sa tristesse de voir la vie misérable qu'elle mène. Il n'en dort plus.

Hulda se récrie, assure à son frère qu'il se trompe, que tout va bien, que les difficultés matérielles ne sont rien. Comment ? Il s'agirait d'autre chose ? Mais que veut-il dire ? Qu'il parle !

Alors, avec d'infinies précautions, le jeune garçon insinue qu'il lui semble... Il a cru comprendre, il croit qu'il y a une liaison entre Léonard et la gouvernante. Il en est même certain, il vaut mieux, après tout, qu'elle le sache.

Stupéfaction, indignation de Hulda qui se récrie, proteste : c'est impossible, il se trompe ! Elle est sûre de son mari, sûre de Livia, qui est son amie, en qui elle a la plus entière confiance. Elle éclate d'un rire nerveux : son frère est fou, il raconte n'importe quoi !

Le garçon sourit, n'insiste pas. Mais il lui apportera, dit-il, des preuves de ce qu'il avance.

Hulda, cette fois, fond en larmes, bouleversée de ce que son frère ait pu imaginer une chose pareille, affolée de voir soudain ébranlé, fût-ce de façon virtuelle, son univers familier, sa raison d'être. Il la rassure, effrayé d'être allé trop loin, l'entoure de son bras, il sera toujours là pour elle, il est son frère, qu'elle ne pense plus à ce qu'il lui a dit ; peut-être s'est-il trompé.

Le hasard fait que Livia entre à ce moment, s'excuse : Hulda aurait-elle vu son ouvrage de broderie, elle croyait l'avoir laissé près de la cheminée ?

À la vue de la gouvernante, la jeune femme se trouble, répond en bafouillant que, non, elle n'a rien trouvé, aucun ouvrage... Livia s'éclipse. Hulda suit du regard la fine silhouette en noir qui sort de la pièce. Et, brusquement, pour elle ce n'est plus la même personne, ce n'est plus l'amie, la confidente, mais une inconnue, une femme dont elle ne sait rien. À moins qu'elle n'ait toujours su? Plus rien n'est vrai, plus rien n'est sûr, le monde vacille... Sans voix, elle regarde son frère.

Anders n'en dira pas plus. Il sait qu'il a gagné.

C'est à sa mère, à présent, dans une longue lettre circonstanciée qu'il envoie de suite à Göteborg, que le jeune homme fait part de ses soupçons, des quasi-certitudes, écrit-il. Mais il vaut mieux ne pas en parler encore au banquier.

La pauvre Sigrid, folle d'inquiétude, répond par retour du courrier : ce que lui rapporte Anders ne fait que conforter son intuition personnelle. Oui, il a raison, il se passe quelque chose d'anormal dans le foyer de sa fille, elle s'en doutait à la lecture de ses lettres, dont le ton avait changé, comme si elle lui dissimulait la vérité. Il est bien étrange que, lors de son passage, Léonard ait semblé éviter Göteborg... Oui, cette Livia, elle s'en méfiait, elle n'est pas étonnée de ce qu'elle apprend, mais tout cela est terrible !

Après avoir beaucoup hésité, elle se résout à écrire à Hulda : message qu'elle a voulu prudent, mais où tout est dit, et son angoisse transparaît assez pour que la jeune femme en soit bouleversée. Pourtant elle lui répond héroïquement, dans une dénégation absolue, disant son double chagrin de voir soupçonner son «bien-aimé mari», comme elle le nomme, et de sentir la profonde tristesse de sa mère.

Au cours de ces échanges de lettres, l'atmosphère de la maison gagne encore en tension. On s'observe. On attend. Il va se passer quelque chose, mais rien n'arrive. C'est comme un orage qui menace autour d'eux en ce printemps au ciel capricieux. Comme une pluie dont on sentirait l'approche, mais qui ne vient pas. Comme un cri retenu dans la gorge, et qui n'est pas poussé. Même les enfants sont nerveux, désœuvrés, pleurnichards, inquiets d'ils ne savent quoi.

Un après-midi, Hulda suspend brusquement la leçon de français de Livia et emmène les garçons en promenade dans Meudon, comme ça, sous prétexte qu'on étouffe, qu'ils ont besoin de prendre l'air. Louise et Nini resteront avec la gouvernante. Ce parler sec n'est pas dans les habitudes de la jeune femme et l'étonne elle-même, comme lui fait honte l'incivilité de son intervention. Mais il lui fallait agir ainsi, c'était plus fort qu'elle.

Et, tout en entraînant dehors les enfants surpris, elle rumine fiévreusement. Léonard est parti pour la journée à Paris. Il a même précisé qu'il ne rentrerait pas dîner et arriverait avec le dernier train. Elle est contente de ce délai. Elle en a besoin pour réfléchir à la conduite à tenir, car tout cela ne peut plus durer, elle doit prendre une décision. Maintenant. Il se trouve qu'il doit repartir pour Bordeaux le lendemain. Il sera absent une semaine. C'est alors qu'elle parlera à la gouvernante. Dès demain. Et quand il reviendra, tout sera fini. Il n'y aura pas eu d'éclat. C'est le plan auquel elle s'arrête.

Hulda, perdue dans ses pensées, marche trop vite pour les petites jambes des enfants. Ils sont fatigués et protestent. Elle ne les entend pas, tire chacun fermement par la main. «Tu me fais mal!» pleurniche en vain le petit Eugène, révolté contre cette mère inconnue, silencieuse et sourde. Ils traversent la ville sans s'arrêter, sans rien regarder. C'est vrai qu'il n'y a pas grand-chose à voir, sinon les rues sombres du bourg, de laides boutiques, plus loin une avenue bordée de platanes au maigre feuillage, la façade pompeuse de l'hôtel de ville. À un moment, la jeune femme épuisée s'abat sur un banc et éclate en larmes. «Qu'est-ce que tu as, maman?» demande Isidore en suédois, inquiet: il n'a jamais vu sa mère comme ça, surtout dans la rue. Des passants se retournent sur cette femme qui pleure, ces enfants qui parlent une drôle de langue.

Qu'est-ce que c'est que ces gens-là? Deux dames s'arrêtent et s'apprêtent à proposer leur aide, mais dans un sursaut d'énergie, Hulda se reprend, se lève, et dit aux enfants qu'il est temps de rentrer, qu'il risque de pleuvoir. D'ailleurs, c'est vrai, à voir le ciel d'où tombe une lumière jaunâtre. Mais les petits, surpris, la regardent sans mot dire.

Sur le chemin du retour, prise de remords, elle s'arrête dans une sorte d'épicerie pour leur acheter à chacun un sucre d'orge.

Voilà. Elle est déjà plus calme. Elle sait maintenant qu'elle va parler à Livia. Pas aujourd'hui, aujourd'hui c'est impossible ; il faut qu'elles soient vraiment seules, qu'elles aient le temps de s'expliquer. Mais demain. Demain, dès que Léonard sera parti. Il faut qu'à son retour tout soit réglé.

Peut-être ce soir parviendra-t-elle enfin à dormir ?

Elle ne sait plus. Elle ne sait rien. Sa pensée tourne en rond : elle a l'impression de devenir folle.

De cette conversation, c'est pourtant la gouvernante qui prendra l'initiative, peut-être d'elle-même, peut-être conseillée, voire pressée, par Léonard, qui sent lui aussi que la situation ne peut plus durer. N'y a-t-il pas jusqu'à la cuisinière, cette vieille dame d'apparence paisible, qui, depuis peu, affiche un sourire insolent lorsqu'elle croise Livia dans le couloir commun de leurs chambres ? La jeune fille a l'impression que les bonnes aussi la regardent curieusement. Sans parler d'Anders dont l'attitude se fait plus clairement menaçante de jour en jour.

Hulda était donc là, ce matin de mai, assise au salon, toute tremblante de ce qu'elle s'apprêtait à dire et qui lui pesait tant, lorsque Livia est entrée, demandant à lui parler. Incapable d'articuler un mot, Hulda lui désigne un siège à côté d'elle, et la gouvernante s'assied, très maîtresse d'elle-même. Elle annonce, de ce ton froid, impersonnel et légèrement cassant qu'elle sait si bien prendre quand il le faut, qu'elle va devoir s'absenter

quelque temps : elle a reçu des nouvelles alar-
mantes de Stockholm, sa mère, Myrta, déjà souffrante va soudain plus mal. Il est de son devoir
d'être auprès d'elle.

D'autre part, poursuit-elle un peu plus bas, et
comme hésitant, elle se rend bien compte que sa
vie est en Suède, et non ici, dans ce pays, dans
cette petite ville où elle ne connaît personne.

« Mais…, dit Hulda.

— Non, personne : vous le savez bien, vous
l'avez souvent dit vous-même, nous vivons ici
comme au couvent. Or j'ai réfléchi, je suis encore
jeune, je dois penser à mon avenir… » Et, sans
laisser à Hulda le temps de l'interrompre, elle
poursuit, lui demande de se rappeler : un jour,
elle lui a parlé d'un jeune homme, un garçon
qu'elle a laissé à Stockholm. Il ne l'a pas oubliée,
il l'aime encore, malgré l'opposition de sa famille.
Il lui a écrit : il semble que les choses entre-temps
se soient arrangées. Elle, de son côté, pense toujours à lui. Elle a eu tort de venir en France,
maintenant elle le comprend, et regrette cruelle-
ment sa décision.

Oui, Hulda se souvient. Elle se rappelle ce jour
de confidences, auprès du feu… On lui avait
montré le portrait du garçon en question, raconté
la triste histoire… Oui, comme elle se rappelle !

Et, tandis que parle et parle la jeune fille,
qu'elle n'écoute même plus, Hulda sent monter
en elle un immense, un extraordinaire soulagement, son cœur bat plus vite, comme si le sang
se remettait à circuler dans ses veines : ainsi, ce

n'était pas vrai, cette histoire affreuse, cette histoire folle, Anders se sera monté la tête, Livia a tout autre chose en tête que son mari! Léonard est innocent! Tout s'éclaire, le monde se remet en place... Et la petite femme-enfant en est comme grisée de bonheur.

La gouvernante cependant se désole, se reproche d'abandonner les enfants, auxquels elle est tellement attachée, de manquer à sa parole; elle s'inquiète de savoir comment on pourra suppléer à son absence... Hulda, les larmes aux yeux, affirme qu'elle se débrouillera, que ce n'est pas si grave, qu'elle comprend trop bien la situation de la jeune fille pour faire obstacle à son bonheur. Livia la regarde, comme hésitante, puis :

«Et Monsieur? Il sera fâché quand il saura!

— Mais non, affirme Hulda, émue. Lui aussi comprendra, je m'en porte garant. Partez tranquille, ma pauvre petite! C'est nous qui n'avons que trop présumé de vous...»

Les deux femmes s'embrassent. Il est décidé que Livia partira au plus tôt pour la Suède. Il faut consulter les horaires. Envoyer là-bas un télégramme.

Pour Hulda, cependant, tout cela, qui s'est passé si vite, est encore à peine réel. Ainsi Livia va partir? La quitter? Maintenant? Pour toujours?

«Mais, hasarde-t-elle, effondrée soudain à l'idée de perdre son amie, et si... Dites-moi que ce n'est pas sans espoir de retour... Je veux dire, si votre mère va mieux? Et pour votre ami, si

175

jamais…» Dans l'état de confusion où elle se trouve elle ne peut préciser sa pensée. Il y a un silence que traduit bien la jeune fille.

Revenir ? Elle en doute. Elle espère tellement que son mariage puisse se conclure. Non, ce départ est définitif.

«Sinon, insiste son amie un peu misérablement, vous savez, ma chérie que vous serez ici toujours la bienvenue, toujours !» Elle est si inimaginable, cette idée de ne plus jamais se voir… Qu'on lui laisse au moins le petit espoir d'un retour !

Curieusement, c'est avec la plus grande sincérité que Livia aussi serre Hulda entre ses bras, tant elle éprouve d'émotion devant sa tendresse, sa candeur.

Mais elle maintient avec fermeté sa résolution de partir.

Deux jours plus tard, Hulda accompagnait la gouvernante à la gare de Meudon, avec les trois enfants auxquels on avait expliqué la situation. Livia portait sa petite robe noire, la plus simple, la plus stricte, sa veste longue, boutonnée jusqu'au col, un chapeau noir sans voilette, et elle n'avait à la main que la valise de son arrivée.

Comme, debout devant la gare, ils étaient sur le point de se faire leurs adieux, est arrivée la voiture à cheval qui dessert Bellevue et le chemin de la Station en passant par le centre. Il y avait huit voyageurs à bord, des fêtards qui visiblement venaient de déjeuner ensemble et dont la gaieté occupait tout l'espace sonore. Ils débarquaient à grand bruit sur le parvis, s'apprêtant eux aussi à prendre le train pour Paris. Impossible de les ignorer.

Les deux jeunes femmes se sont une dernière fois serrées dans les bras l'une de l'autre. Soudain Hulda éclate en larmes, bouleversée de ce qui était arrivé si vite, si étrangement. Livia avait elle aussi du mal à contenir son émotion. Le petit Eugène lui a demandé si elle reviendrait, et Isidore lui a poussé le coude pour le faire taire. Alors c'est Louise qui s'est mise à pleurer, pressant la gouvernante de rester. Sa maman s'est penchée vers elle, l'a doucement consolée, oui, Mademoiselle reviendrait sûrement, un jour, on ne savait pas encore quand, mais elle reviendrait, ne serait-ce qu'en visite. Elle nous aimait trop pour ne pas revenir, n'est-ce pas ?

À côté d'eux, la troupe des joyeux voyageurs descendait déjà vers les quais. Un signal d'appel retentit : le train partait dans cinq minutes.

« Ne venez pas sur le quai, a alors demandé Livia. Ne venez pas, je vous en prie, ce serait trop triste. » Elle les a tous embrassés, puis s'est engagée à son tour dans l'escalier, a disparu. On a entendu le dernier signal de départ du petit train. Puis le bruit du convoi qui se mettait en marche, devenait plus sourd à mesure qu'il s'éloignait. Depuis le parvis de la gare, on ne voyait rien des voies en contrebas, et c'était bizarre ce départ invisible dont on ne percevait que le son, de plus en plus faible. Et puis plus rien. Livia était partie.

La jeune femme a repris le chemin de la maison avec les petits, encore interdits, et saisis soudain de la pesanteur de l'absence. Ils sentaient confusément que quelque chose de leur vie avait changé, allait changer.

Hulda le savait aussi, et elle avait cette peur étrange de l'avenir, de toutes ces choses qui nous attendent et dont nous n'avons que le vague, très vague, mais lumineux pressentiment.

« Quand est-ce qu'il rentre, papa ? a demandé soudain Eugène comme ils approchaient en silence de la maison.

— La semaine prochaine, mon chéri, pourquoi ?

— Comme ça », a simplement fait le petit garçon.

Et c'est alors, à travers l'inquiétude de l'enfant, que Hulda a senti poindre la sienne, violente, irraisonnée, mystérieuse.

À son retour de Bordeaux, Léonard se montre violemment contrarié du départ de Livia, ou, pour reprendre ses termes : « Très désagréablement surpris ». Joue-t-il l'étonnement ? Est-il sincère ? S'étaient-ils, lui et elle, mis d'accord ? En tout cas, il affecte de se rendre au motif invoqué pour ce brusque départ ; ne fait aucun commentaire. Mais il demande froidement à sa femme si elle mesure pleinement la situation dans laquelle ils se trouvent à présent, sans gouvernante. Et elle sent bien, à son regard, que c'est elle qui est en question, et non celle qui est partie.

La jeune femme, troublée comme si elle comparaissait devant un tribunal, se félicite timidement de ce que, du moins, ainsi, les incessantes disputes entre la gouvernante et Anders auront cessé, et que la maison sera plus calme.

« Et pour le reste, aboie soudain Léonard, comment espères-tu te débrouiller ? Je ne parle même pas des leçons de français. Mais la conduite de la maison ? Avec toi qui ne sais toujours pas te

faire obéir des bonnes, ni même de tes enfants!»
fait-il dans un haussement d'épaules. Hulda est
prise d'un petit tremblement nerveux. Elle ne
supporte pas les vibrations de cette voix coléreuse
dans laquelle elle ne reconnaît pas celle de son
mari. Ou plutôt si, elle sait qu'il peut la prendre,
cette voix-là, avec d'autres, mais avec elle encore
jamais, non, ce n'était pas arrivé, et cette découverte l'épouvante.

«Où trouveras-tu, dis-moi, une gouvernante
de la qualité de Livia? Ou même une gouvernante tout court? d'autant que tout le monde
sait maintenant de quoi il retourne ici, quelle
maîtresse de maison tu fais!» poursuit-il, impi-
toyable.

Elle baisse la tête, murmure qu'elle demandera
conseil au pasteur, il l'aidera certainement à trouver quelqu'un. Mais, de toute façon, elle saura se
débrouiller, elle en est sûre; elle a beaucoup
appris au contact de Livia; elle a changé, elle le
lui affirme… Et cette fois, c'en est trop, les larmes
lui montent aux yeux, des larmes d'enfant; ce qui
n'a pour effet que d'exaspérer son mari: «Trop
facile, ma pauvre Hulda, les larmes! Tu n'es plus
une petite fille! Ne comprends-tu pas que c'est
d'une femme, une vraie, que j'ai besoin, et pas
d'une gamine pleurnicharde?»

Elle le regarde alors, cet homme, avec sa belle
moustache, son col cassé si blanc, son gilet boutonné, sa chaîne de montre pendant du gousset.
Tout cela si parfaitement correct, si parfaitement

étudié, si parfaitement égoïste. Et, un instant, elle le déteste.

On entend dans la pièce voisine le vacarme des enfants, livrés à eux-mêmes, qui s'amusent comme ils peuvent, à grands cris. Léonard paraît, fulmine. Suit un silence apeuré.

Puis il se réfugie dans son bureau dont la porte se referme sur un claquement, laissant Hulda consternée.

Cette fois elle est vraiment seule.

Elle se ressaisit, mais c'est pour s'affoler : il va falloir s'organiser, distribuer autrement la tâche des bonnes. Prendre en main l'éducation des enfants. Aller voir le pasteur pour chercher une gouvernante. Les projets se bousculent dans sa tête. Ah ! si seulement Livia n'était pas partie !

Elle court à la cuisine. Avec Berthe et la cuisinière, elle organise tant bien que mal le repas du soir. Mais quelque chose ne va pas, ne va pas du tout, sonne faux : il lui a semblé, tandis qu'elle parlait à ces femmes, qu'elles échangeaient entre elles des sourires sarcastiques, des regards bizarres... Elle doit se tromper, c'est la fatigue, l'épuisement nerveux de ces derniers jours. Et pourquoi, quand elle leur avait annoncé le départ de la gouvernante, n'avaient-elles pas fait le moindre commentaire ? Pas un mot, mais, sur leurs visages fermés, un contentement muet, une ironie secrète et triomphante.

Anders, lui, ne cache pas sa satisfaction, et, même s'il se garde de tout commentaire, elle émane de tout son être. Le dîner entre lui et Léonard silencieux sera difficile pour la jeune femme. Il aura même quelque chose de sinistre en dépit du soleil de mai qui entre, ce soir, à longs rayons tardifs dans la pièce, jouant sur la nappe blanche et la place vide de la fugitive.

Sans tarder, ce même soir, la jeune femme écrit à Livia à l'adresse qu'elle lui a laissée, chez sa mère, pour lui dire son désarroi, et surtout lui confier sa tristesse, sa solitude. C'est l'amie qui lui manque plus encore que la gouvernante. C'est de son sourire, de sa vitalité, de sa force qu'elle aurait besoin. Sur le papier, encore moins qu'elle ne le faisait de vive voix, elle n'ose lui avouer le fond de son chagrin, la peur que son mari lui inspire, son angoisse devant sa froideur, sa dureté. Ni lui dire son amertume devant la cruauté de la vie. Mais tout en formulant des vœux pour son bonheur à Stockholm, elle lui exprime du mieux qu'elle peut son extrême tendresse et le regret profond qu'elle a d'elle.

Il n'y aura pas de réponse.

Le voyage d'affaires de Léonard en Finlande est prévu pour la fin juin. Hulda n'aura gardé son mari auprès d'elle qu'un peu plus d'un mois depuis le départ de la gouvernante. Un mois bien difficile, à vrai dire, tant pour l'un que pour l'autre. Les choses vont très mal à la maison, et il n'est pas de jour que Léonard n'en fasse grief à sa femme. À moins que ce ne soit autre chose qui le fâche si fort.

Finalement, c'est lui qui est allé trouver le pasteur du temple de Bellevue et, sur sa recommandation, il engage une nouvelle gouvernante. C'est une demoiselle d'une quarantaine d'années, originaire de Versailles, très sérieuse, paraît-il, pourvue d'excellents certificats et qui aurait l'expérience des jeunes enfants. On devra l'appeler Mlle Pauline. Mais Hulda n'a d'emblée aucune sympathie pour sa coiffure sévère, ses lourdes jupes, l'âpreté de sa voix, son rance parfum de vertu. Le petit Isidore, mis en présence de la dame, est venu murmurer à l'oreille de sa mère qu'il la trouvait *väldigt ful*

(« rudement moche »). Elle dormira dans une chambre voisine de celle de Livia. La chambre de Livia, son amie refuse de la voir habitée par quelqu'un d'autre.

Autre innovation, Léonard a renvoyé la cuisinière : Hulda s'était plainte de l'insolence de cette femme qui affichait un sourire ironique à la moindre remontrance, et qu'elle soupçonnait de donner « mauvais esprit » aux bonnes : ne l'avait-elle pas surprise en train de se moquer en cuisine de ces prétendus bourgeois qui n'avaient « pas de quoi » sauf pour s'amuser. Il a engagé à sa place une personne plus jeune, sans malice, mais l'air honnête, native de la Mayenne, d'un bourg voisin de celui où Léonard est né. Oui, elle connaissait bien le château de L... Ce détail avait enchanté Léonard, toujours fier de ses origines à couleur aristocratique, et scellé leur accord.

Néanmoins, il va devoir partir, et pour la première fois Hulda se trouvera seule avec ses enfants. Sans lui, et sans Livia. Il ne reviendra cette fois-ci encore, comme l'année précédente, pas avant deux mois. Mais il promet qu'à son retour de Finlande, en passant par la Suède et Göteborg, il ramènera peut-être Sigrid Christiansson, qui souhaitait depuis longtemps venir voir sa fille, ses petits-enfants, découvrir la maison de Meudon. Et comme il est aussi question de la venue de Charles à Paris pour l'affaire d'un client, la jeune femme se reprend à espérer, à rêver d'une famille réunie, réconciliée.

Comme ce serait bon de tous se retrouver

ensemble ici, pense-t-elle naïvement! C'est l'idée qui la soutient, la console de la future absence de son mari, lui fait oublier l'amertume des dernières semaines. Quand Léonard reviendra, les choses iront sans doute mieux, et elle aura de toute façon sa famille auprès d'elle pour la soutenir.

Mais pourquoi Livia n'écrit-elle pas?

Léonard va s'en aller, et elle éprouve à le voir partir une angoisse plus grande que d'habitude, une peur de tout l'être, singulière et profonde, sans raison véritable, peut-être parce que, des raisons, justement, il y en a trop: peur pour son mari, qu'elle trouve fatigué, à l'idée de ce grand voyage, qu'il a déjà fait mais qu'elle ressent comme différent, peur pour elle, qui reste seule dans des conditions toutes nouvelles, peur surtout pour leur couple, dangereusement disjoint dans le triste tête-à-tête des derniers jours, qui, loin de resserrer les liens entre eux, les a rendus simplement pesants.

Au moment où ils se séparent, où il l'embrasse, elle lui demande, comme d'une chose sans importance, si lors de son passage en Suède il ira à Stockholm, et s'il verra Livia.

«Je n'en aurai certainement pas le temps», répond-il presque sèchement.

Ils sont debout devant la maison, avec les enfants et les bonnes. Cela a quelque chose d'officiel, de singulier. Une voiture à cheval attend, qui conduira Léonard à Paris, à la gare du Nord.

Comme un grand froid dans la maison vide. Si
elle s'écoutait, la jeune femme se mettrait au lit,
s'y cacherait, refusant de voir qui que ce soit, ni
les enfants, ni les bonnes, ni surtout cette odieuse
Mlle Pauline, dont la voix aigre la terrorise :
« Vous devriez… Il me semblerait utile que… »

Hulda n'a plus envie de rien.

Froid et ennui. Peur, de tout, d'aujourd'hui,
de demain, de l'avenir. Et même de cette journée
de soleil que les autres trouvent belle. Cris joyeux
des enfants dans le jardin. Bruit diffus de conversations de passants dans la rue. Vite, fermer les
fenêtres. Interdire sa porte… Mais non, elle ne
peut pas : à présent, c'est la petite Eugénie qui
aura échappé à la gouvernante et gratte à la porte
à sa manière si particulière. Hulda va lui ouvrir,
la serre dans ses bras en pleurant.

Personne à qui parler. Sûrement pas à Anders,
qui, à peine Léonard parti, a repris le cours de
ces insinuations calomnieuses qu'elle ne veut pas
entendre, qui l'épuisent. Il l'exaspère au point

que, elle si douce, il lui arrive de s'emporter, et, pour le faire taire, de lui reprocher sa paresse, son inaction, lui qui ne fréquente plus guère les cours. Pourquoi ne chercherait-il pas un emploi ?

Quant à sa mère, ne serait-ce que par lettres, il n'y a aucun secours à chercher auprès d'elle : elle n'y trouve au contraire qu'un écho encore douloureux des insinuations d'Anders.

Charles, peut-être, oui, elle aimerait qu'il soit déjà là, le grand frère si raisonnable, autrefois si tendre. Il était question qu'il vienne bientôt à Paris… Mais lui-même, que pensera-t-il de cette maison en décomposition ?

Rien ici, pour le moment, qui puisse la soutenir, sinon la tendresse innocente de la petite Nini. Encore que le bébé finisse toujours par la fatiguer, et elle remet promptement l'enfant aux bonnes, dans la honte, car elle voit bien, alors, le sourire méprisant de ces filles.

Les enfants sont plus nerveux que jamais, indisciplinés, en révolte contre Mlle Pauline, qui, en dépit de sa sévérité, ne parvient pas à se faire obéir. Avec le beau temps, les garçons se cachent dans le jardin pour éviter les leçons de français de l'après-midi. Quant à celles que leur mère devrait leur donner le matin, Hulda est souvent trop lasse pour le faire. Parfois, elle néglige même de se lever : c'est Berthe qui, s'étonnant de ne pas la voir, frappe à sa porte, et la jeune femme est confuse alors de s'apercevoir qu'il est midi.

Louise, elle, quatre ans à présent, est un cas particulier : elle refuse de parler avec la nouvelle gouvernante et passe son temps à regarder des livres d'images. Une fois, après l'avoir cherchée tout l'après-midi, on l'a retrouvée enfermée dans la chambre de Livia où elle avait grimpé à l'insu de tout le monde, et s'était réfugiée avec sa poupée, fuyant les appels de la vieille demoiselle.

Dès le départ de son mari, Hulda lui avait écrit, adressant son courrier à Göteborg, dans l'espoir qu'il s'y arrêterait assez longtemps pour recevoir la lettre. Cela fait déjà quinze jours et elle n'a pas encore de réponse. Est-il déjà en Finlande ? Est-il resté à Stockholm ? Aura-t-il finalement vu Livia ?

D'elle, elle n'a pas eu de nouvelles depuis son départ. Aucunes. Pas de réponse à sa lettre. C'est peut-être cela qui l'inquiète le plus. Là que s'insinuent les pensées qu'elle refuse mais qui reviennent malgré elle de façon insistante, odieuse. Alors, pour les combattre, elle a recours à toutes sortes de suppositions : peut-être que Myrta Bergvist va plus mal et que Livia est dans l'angoisse. Peut-être, étant donné leurs mauvaises relations, la mère a-t-elle mal reçu sa fille ? Peut-être est-ce l'affaire amoureuse de la jeune fille qui a mal tourné ? Ou peut-être, au contraire, tout s'est-il arrangé au mieux, et elle est trop occupée pour écrire.

Mais, à d'autres moments, il apparaît à Hulda avec évidence qu'une très mauvaise nouvelle (la mort de la mère, la rupture avec l'amoureux), comme une très bonne (le rétablissement de la malade, l'annonce de fiançailles), aurait dû nécessairement donner lieu à une lettre. Il faut qu'il y ait autre chose. Et s'ouvre là une zone trouble, bizarre, inquiétante.

Hulda se remet à tenir son journal – pauvre petit journal, puéril, naïf, plein de redites –, entrepris au moment de son arrivée à Meudon, puis interrompu. Cette fois, dans la solitude où elle se trouve, elle s'y attache comme au seul confident possible. Encore qu'elle n'ose pas toujours aller au fond de sa pensée, avouer ses véritables inquiétudes, laisser échapper, comme elle l'écrit joliment «ce qui ne devrait jamais franchir ses lèvres».

Le 14 juillet 1875, il paraît que c'est la fête
nationale. Les bonnes et la cuisinière ont pris leur
journée. Il fait un temps magnifique. La nouvelle
gouvernante conseille à Hulda d'aller voir le
défilé et la fanfare sur la place avec les garçons et
Louise, ça les amuserait sûrement, dit-elle, ces
pauvres enfants : pendant ce temps elle gardera la
petite Eugénie. La jeune femme n'ose pas refuser.

Soleil éclatant qui rend plus laide encore à ses
yeux la large avenue pavoisée, le prétentieux hôtel
de ville, la foule endimanchée. Les enfants, eux,
sont en effet ravis. Les gens, massés depuis le
début de la matinée devant l'hôtel de ville, pié-
tinent dans la poussière. On entend déjà la rumeur
assourdie d'une fanfare militaire qui répète à
l'intérieur du bâtiment. «Il y aura des chevaux?»
demande Isidore. Oui, murmure Hulda, sûrement, mais elle n'en sait rien. Comme elle ne sait
rien de ce qui se passe aujourd'hui, ni même le
pourquoi de cette fête. Le 14 juillet, c'était quoi
exactement? Chez elle, on n'approuvait pas ces

Français qui avaient décapité leur roi. Et Léonard lui-même était muet sur la question.

Perdus dans la foule en liesse, qu'ils sont étrangers, décalés, la jeune femme rêveuse et ses trois enfants, la petite Louise avec son joli visage triste, sa main dans celle de sa mère, les deux garçons uniquement curieux de chevaux et d'uniformes militaires ! Soudain les portes de l'hôtel de ville s'ouvrent sur l'entrée de la fanfare municipale jouant *La Marseillaise*, chantée par un gros homme. Quelle surprise, quand le peuple, debout sur les trottoirs, entonne à son tour le refrain, comme s'ils savaient tous par cœur ces paroles pourtant incompréhensibles ! Au même moment, dans un grand fracas de musique militaire, surgit on ne sait d'où un détachement de quelques cavaliers magnifiques, casques à panaches de dragons, uniformes de parade, qui vont descendre l'avenue, suivis de pompiers en tenue, puis de fantassins en veste noire et pantalons rouges, sous les applaudissements de la foule. Les garçons, du coup, partagent l'enthousiasme général, et même la petite Louise semble s'amuser.

Hulda est loin, elle, loin de la foule, loin de ses enfants. Elle regarde sans vraiment les voir, juste étonnée, derrière le défilé, des gens se mêler au cortège en sautillant, des vieux, des jeunes, des gamins… Ce vieillard même qui fait des entrechats plus haut que les autres… Que peut-il trouver de drôle à tout cela ? Elle pense à l'étrangeté de la vie qui l'a amenée ici, dans ce pays, dans cette petite ville, à regarder ce vieux bonhomme sauter. Elle pense à son mari lointain dont elle ne sait plus très bien qui il est. Elle pense à...

«Maman, maman, on va aussi avec eux? demande Eugène qui est pris de l'envie de suivre le cortège, de sauter et danser comme les autres.

— Certainement pas, répond la jeune femme sur un ton dont la dureté la surprend elle-même. Il est temps de rentrer déjeuner.»

Elle est fatiguée. Ils sont là depuis presque deux heures. Pourtant le soleil, mystérieusement, a disparu sous de gros nuages, bien qu'il fasse étonnamment lourd. L'atmosphère est celle d'une sorte de rêve bizarre, vaguement inquiétant. Peut-être va-t-il y avoir un orage.

Ce mot orage, pourquoi l'émeut-il? Elle pense aux orages d'été de son enfance, à la couleur particulière que prenait soudain le ciel, là-bas, au bord de la mer, sur la dune, quelque chose entre le bleu pétrole et un gris de plus en plus sombre... Un instant, elle croit entendre la voix joyeuse de l'oncle Karl: «Vite, les enfants, l'orage! courez à la maison, il pleut déjà!» Cette voix, mon Dieu, comme elle est proche, et comme elle est lointaine...

«Je crois qu'il va y avoir un orage», dit Hulda en montrant le ciel plombé. Mais sa voix à elle est sans éclat, et ses mots sont des mots tristes, sans écho, elle le voit bien; des mots qui ne laisseront aucune trace, un jour, dans la mémoire des enfants, parce que ce sont les mots d'un temps sans bonheur.

Oui, le temps de ce mois de juillet s'est gâté : jour après jour, ciel sombre et averses, coups de tonnerre lointains, éclairs, sourde menace comme d'un péril plus grand, suspendu là, quelque part au-dessus d'eux... On dit qu'il y a de grandes inondations dans le sud de la France ; Hulda s'émeut à la pensée de tant de malheurs qu'elle lit dans le journal et prie Dieu pour ces gens, pour eux tous.

Un dimanche, une pluie torrentielle s'abat sur Meudon, sur la maison, sur le jardin. La jeune femme ne s'est pas levée. Les bonnes ne sont pas venues, Henriette avait sa journée de congé, Berthe est restée dans sa famille, qui habite le bourg. Mlle Pauline a donc charge de tous les enfants, ce qui n'était pas prévu, et il faudra tout à l'heure essuyer ses remontrances amères. Mais pas tout de suite : elle s'accorde encore un peu de répit.

Depuis son lit elle regarde machinalement tomber l'eau derrière la vitre de sa fenêtre, ruisseler dans les gouttières, noyer les arbres du jardin. Le reste du monde n'existe pas. N'existe pas non plus cette maison dont les bruits ne lui arrivent qu'étouffés, fondus dans le vacarme de la pluie. N'a jamais existé, peut-être, la Suède lointaine, où elle doute avoir jamais vécu. Et cet homme étrange, son mari, l'a-t-elle vraiment rencontré ? Quand ? Quelle curieuse histoire ! Et si, tout cela, elle l'avait rêvé ? Mais la pensée de son angoisse lui revient, cette pensée dure, bien réelle, cette douleur-là.

Quand elle est ainsi, Hulda sombre jusqu'au soir. À la gouvernante qui, inquiète de son silence, frappe à sa porte, l'appelle pour dîner, elle répond depuis son lit qu'elle n'a pas faim, qu'elle regrette, qu'elle ne se sent pas bien. Non, merci, elle n'a besoin de rien, qu'on ne la dérange plus.

Un silence. Puis elle entend avec soulagement le pas sec de la vieille demoiselle s'éloigner.

Hulda pleure doucement. Pense qu'elle va écrire à Livia pour lui demander de revenir. À tout prix, quelles que soient les circonstances. Même si c'est fou. C'est ce qu'elle va faire dès demain, n'est-ce pas ? Mais à la pensée d'un autre demain, d'un nouveau matin, d'une nouvelle journée, l'effroi la prend.

Que les journées sont longues à Meudon, long cet été pluvieux et gris, si différent de l'éclat des étés suédois de sa mémoire. Souvent, à présent, lui revient le souvenir des jours d'autrefois, non ceux d'un passé récent, mais bien plus lointain, celui des étés de son enfance, des vacances à la mer, des départs pour la maison rouge de *mormor*, grand-mère, la mère de Sigrid, tous ensemble dans la grande voiture à cheval, ses parents, Charles, Anders et elle. Là-bas, on retrouvait les cousins, l'oncle Karl. Quelle joie ! Comment se fait-il que ce monde-là se soit écroulé ? Que tout cela ait disparu ? Elle pense aux photos qu'on prenait... Où sont-elles, à présent, toutes ces photos ? Elle n'a rien. Il ne lui reste rien. Et ses cousins, pensent-ils seulement à elle depuis qu'elle est partie ? Est-ce que ce n'est pas comme si elle était déjà morte ? Est-il possible qu'un jour elle soit vraiment morte, loin des juillets suédois, oubliée de tous les personnages d'alors, et peut-être même de ceux d'aujourd'hui ?

Encore une journée où il n'y aura pas eu de lettres. De personne. Pas même un journal. À croire que le facteur ne reconnaît pas leur maison, qu'ils n'existent pas au regard de la poste.

La nuit, Hulda dort très mal, se réveille brusquement, dans la conscience cruelle de sa situation. Quelquefois, elle se dresse dans son lit, fascinée par le rectangle illuné de la fenêtre. Quelquefois, elle se lève, parcourt à tâtons la maison plongée dans une obscurité laiteuse, erre dans les couloirs, monte jusqu'aux greniers. Là, il y a la porte de Livia, sa chambre vide, telle que la gouvernante l'avait trouvée en arrivant, couvertures pliées sur le lit. Mais en dépit de l'absence, on trouve pourtant là encore un peu de la jeune femme, un léger parfum, le souvenir impalpable d'une présence.

Elle regagne son lit. Le ciel a déjà pâli. Mais le jour sera long à venir, annoncé par de lents bruissements, d'étranges appels d'oiseaux invisibles. Puis ce sont les pépiements de l'aube.

C'est le moment où elle pense le plus à Léonard. Où sa pensée se fait le plus douloureusement interrogative. Pourquoi n'écrit-il pas ? Ne pas savoir, ne plus rien savoir d'un être ! Quand il était là, en dépit des difficultés, c'était tellement plus simple, croit-elle se souvenir. Quand sa main se posait sur son corps avec tendresse. Quand les réponses étaient là avant même que puissent naître les questions. Mais se souvient-elle bien ? À quel temps pense-t-elle ?

Pourtant, des nouvelles de Léonard, elle va en recevoir en ce début d'août : après le très long silence de juillet, plusieurs lettres sans doute retardées arrivent ensemble. Mais des lettres bien décevantes, des lettres vides, sans tendresse. Il précise qu'il ne rentrera pas avant six semaines, peut-être davantage. Il est en Finlande, mais il paraît qu'il devra se rendre encore en Norvège, comme l'année précédente. On vient de l'en avertir, écrit-il sans émotion. Pas un mot pour dire que ce nouveau voyage le contrarie, pour exprimer le regret de devoir reporter son retour.

Et de Livia aussi, enfin, elle a des nouvelles : une réponse tardive à sa lettre. C'est un message bref, bien dans le style réservé de la gouvernante : elle se borne à dire qu'elle est toujours à Stockholm, que l'état de sa mère est stationnaire. Du jeune homme amoureux, elle ne dit mot. Pas plus qu'elle ne commente la lettre de Hulda : elle ne semble pas avoir compris son chagrin, sa solitude, ni être touchée par les mots maladroits à travers lesquels elle aurait pu lire l'appel pressant de son amie.

De la lecture de ces lettres tant attendues, Hulda sort abattue, hébétée, comme idiote. La tête vide, le corps privé d'énergie.

Il arrivera aussi une lettre de Charles, confirmant sa venue prochaine à Paris, et bien sûr à Meudon. Mais c'est une curieuse lettre, froide et impersonnelle, comme retenue, et, pour Hulda qui s'était fait une fête de retrouver son frère, à la désillusion s'ajoute l'inquiétude : que veut-il lui dire qu'il n'ose lui écrire ? Que sait-il qu'il omet de dire ?

Elle s'affole à l'idée de ce qu'il pensera lorsqu'il découvrira la maison de Meudon, sa misère glorieuse. Comment arranger les choses, donner au décor un peu de gaieté, camoufler la gêne ? Plus que jamais elle se désole du manque de moyens dont elle dispose.

Ce qu'elle craint aussi, à mesure que la date de cette visite approche, c'est qu'il se rende compte de l'état dépressif dans lequel elle se trouve. Qu'il la voie telle qu'elle se voit elle-même dans le miroir. Qu'il constate le changement, physique et moral, qui s'est fait en elle. Qu'il lui pose des questions. Qu'elle ait à avouer sa tristesse, son angoisse. Qu'il remue ces eaux-là, ces eaux troubles qu'elle se refuse à explorer.

Tout l'angoisse, tout la trouble. Une facture du loueur de piano est arrivée, réclamant d'urgence le paiement de quatre mensualités. Elle décide d'aller elle-même à Paris s'en acquitter, prenant sur les maigres réserves du ménage : il faudra bien que son mari lui envoie une nouvelle lettre de change. Et c'est une singulière expédition qu'elle fait là, emmenant Isidore pour se donner du courage. L'enfant de sept ans, lui, est tout heureux de ce voyage imprévu, seul avec sa mère. Mais il comprend très vite que quelque chose ne va pas : Hulda est fébrile, un peu égarée. En route, elle croit dix fois avoir perdu son sac et le précieux argent, se trompe longtemps de chemin avant de trouver la rue du Xe où est installé le marchand de pianos, qui la reçoit aigrement, presque grossièrement. En plus de tout cela, il pleut, elle est partie sans parapluie et se désole de gâter son chapeau et sa meilleure tenue. Le petit garçon demande quand on rentre. Il ne trouve pas du tout Paris à son goût.

Quand, le soir, ils reprennent le train, silencieux tous les deux, épuisés, le petit, hostile, le regard rivé à la fenêtre sur le paysage de banlieue qui défile, elle a le sentiment que quelque chose entre elle et son enfant s'est brisé, mais elle n'y peut rien. C'est comme ça, comme le reste. Tout se dérobe à elle.

Charles est arrivé à Meudon un dimanche, fatigué, de mauvaise humeur. Et, comme elle l'avait craint, il a tout vu, le quasi-délabrement du mobilier, la morosité de la décoration, la pauvreté de l'ensemble, la tristesse de Hulda, l'ensauvagement des enfants, l'effronterie des bonnes. Il n'a rien dit. C'est à son regard, à son silence, qu'elle a compris qu'il se rendait compte. En revanche, il y a un problème auquel il s'attaque de front : la présence oisive d'Anders. Il lui propose de travailler chez un éditeur parisien avec lequel un ami l'a mis en contact. Et le garçon, impressionné par l'autorité de son frère, accepte. Il reprendra donc une chambre à Paris. Pour Hulda, c'est un grand soulagement : elle sera seule, mais au moins n'aura plus à subir le harcèlement des insinuations du jeune homme, la brutalité de ses questions, la cruauté de ses apitoiements.

Charles aussi, semble-t-il, aurait des questions désagréables à poser. Elle s'y attendait, elle en avait peur. Curieusement, il ne le fait pas ouvertement, et c'est presque pire, car elle sait très bien ce qu'il pense, ce qu'il garde pour lui. Elle n'est d'ailleurs pas très longue, sa visite. Pas très affectueuse. À peine s'il s'occupe des enfants qui lui faisaient fête, tout heureux de sa venue. De ce qui préoccupe Hulda, il ne parle pas. Il est distrait, sans doute occupé par ses propres affaires – ce qui, pour le procès d'un client dont il est l'avocat, l'a conduit à Paris –, il n'a pas de temps à consacrer aux problèmes de sa sœur. Ou peut-être refuse-t-il, par une discrétion toute puritaine, de «se mêler de ce qui ne le regarde pas»? Il ne dira qu'une chose, et très nettement: sa satisfaction du départ de Livia. Il ne l'aime pas beaucoup, Livia, on dirait, mais il a le tact de ne pas développer sa pensée. «Maman m'a parlé de tout cela, se contente-t-il de dire de façon sibylline, elle trouve que les choses sont mieux ainsi et je l'approuve entièrement.»

Peut-être à cause de la brièveté sévère du ton sur lequel il a prononcé ces quelques mots, Hulda ne peut s'empêcher de penser qu'il y a chez son frère quelque chose d'un pasteur manqué. Et le souvenir désagréable lui vient de ce vilain homme auquel elle avait une fois rendu visite au presbytère du temple de Bellevue et qu'elle n'a pas cherché à revoir, tant sa froideur l'avait glacée. Pourtant son frère, son grand-frère, autrefois elle l'aimait tant…

Quand il repart, distant, comme indifférent, elle éprouve plus que jamais le sentiment de sa solitude.

Comble de chagrin, avec le mauvais temps persistant, pluie et vent soufflant en bourrasques, le petit Eugène tombe malade : une toux persistante qui devient bronchite. L'enfant a une forte fièvre, vomit, Hulda est bouleversée. On fait venir, sur le conseil de Mlle Pauline, un médecin qui avoue ne pas comprendre pourquoi l'enfant ne se remet pas. Si seulement elle avait encore auprès d'elle comme à Stockholm le merveilleux docteur Näsberg ! Alors que l'imbécile qu'elle consulte est visiblement incompétent. La jeune femme, d'ordinaire timide, s'emporte, a des mots un peu vifs à l'encontre du médecin, et même de Mlle Pauline qu'elle achève de s'aliéner.

Heureusement le petit se rétablit. Mais, de cette alerte, il reste à Hulda une angoisse : celle de l'isolement, et le sentiment d'être ici sans recours en cas de maladie grave, d'accident. Tout peut arriver. Aux enfants. À elle-même. Jamais elle n'avait pensé de cette façon aussi précise à leur fragilité, à la mort, à cette éventualité-là, si étonnante...

Elle écoute le vent : quand il souffle ainsi, avec cette rage, en Suède on dit que c'est Odin qui passe, emmenant les âmes des morts.

Jamais la maison ne lui a paru si grande, si hostile, si éloignée de ce que devrait être la vie.

Septembre ne fait pourtant que commencer, mais c'est déjà l'automne : les petits matins sont brumeux et saupoudrés de givre, le vent apporte par bouffées une odeur de branches qu'on brûle entre deux averses, et il fait froid, un froid humide, pénétrant.

Le temps est si mauvais que les enfants ne sortent plus guère dans le jardin, tant Hulda craint que l'un d'eux ne s'enrhume, ne tombe malade : elle a eu si peur pour Eugène ! Cloîtrés à la maison, ils sont de plus en plus agités et insupportables. Mlle Pauline proclame qu'elle n'a jamais vu garçons plus difficiles que les aînés, ni fillette plus bizarre que Louise, qui s'enfuit quand on l'appelle et refuse qu'on la touche. Quant à la petite Nini, elle ne quitte plus sa mère, en dépit des principes d'éducation de mademoiselle, qui prédit à Hulda les pires mécomptes avec une enfant pareillement gâtée.

Une fois encore les garçons ont refusé de se rendre à la leçon de français de la gouvernante, et ont poussé la méchanceté jusqu'à jeter au feu l'ouvrage religieux dont elle fait sa lecture quotidienne. Cette fois, c'en est trop : mademoiselle ne restera pas un jour de plus dans cette maison où l'on se moque d'elle, où l'on bafoue la religion, et, insinue-t-elle d'une voix sifflante, même la morale. Dressée telle l'image de la vertu offensée devant Hulda effarée, Mlle Pauline donne sa démission. On ne la reverra pas.

Les enfants sont enchantés, Hulda profondément soulagée, même si, très vite, elle prend conscience des difficultés qui l'attendent : pourra-t-elle seule conduire la maison, s'occuper des enfants ? Il lui semble n'avoir jamais été aussi fatiguée. Les bonnes, comme encouragées par le départ de la gouvernante, sont odieuses et prennent le pouvoir : à la moindre réprimande, elles menacent de partir à leur tour. Leur hostilité désarme la jeune femme, comme le mépris qu'elle croit lire dans leurs regards.

À contempler le débraillé des enfants, le désordre du salon, l'anarchie de la cuisine, elle se désole, s'effraie surtout à l'idée du retour de Léonard dans de telles conditions : car il va bientôt rentrer, ce mari autrefois attendu avec tant d'impatience, et dont à présent elle redoute l'arrivée.

Ah ! si seulement Livia pouvait revenir ! Elle seule peut l'aider. Elle seule l'a jamais comprise, elle seule est son amie.

Éperdue de solitude, d'angoisse diffuse, elle envisage de lui écrire à nouveau, de lui demander, expressément cette fois, de rentrer. C'était une folie de la laisser partir. Comment a-t-elle pu en venir à souhaiter que son amie s'en aille ? Comment a-t-elle pu se laisser influencer pareillement, ajouter foi aux commérages malveillants d'Anders ? Donner poids au jugement de sa mère et de ce cagot de Charles ? Ils se trompent tous ! C'est son cœur à elle qui a raison.

Elle va écrire à Livia, lui peindre la situation de la façon la plus réaliste, lui demander son aide, la supplier : il faudra bien qu'elle l'entende. Cette histoire d'amour, ce jeune homme de Stockholm, ce n'était pas sérieux ? Sinon elle lui aurait déjà appris l'heureuse nouvelle ? Non, Livia est certainement libre. Alors rien, n'est-ce pas, ne peut la retenir là-bas !

Quand elle se décide à écrire cette lettre, comme par miracle le temps se met au beau, le ciel se dégage, et un timide rayon de soleil apparaît pour la première fois depuis deux semaines : Hulda y voit un signe favorable, la main de Dieu. Il fait presque chaud ! Les enfants courent au jardin, et elle, la voilà qui s'installe avec encre et papier sous la tonnelle, à la petite table de fer devant laquelle Livia et elle ont si souvent bavardé, et elle écrit, avec son cœur, pour appeler son amie au secours. Car c'est vraiment de cela, aujourd'hui, qu'il s'agit.

À peine a-t-elle envoyé sa lettre qu'il en arrive deux de Léonard annonçant son arrivée très prochaine : l'une est adressée au petit Isidore qui lui avait écrit, et cette réponse, la première lettre personnelle qu'il reçoit de son père, comble l'enfant de joie ; l'autre, au nom de Hulda, est beaucoup moins agréable : au retour de Norvège, Léonard est bien, cette fois, passé à Göteborg, mais l'accueil qu'il a trouvé chez les Christiansson a été si odieux, dit-il simplement, qu'il est hors de question qu'il ramène *mormor* à Meudon. Il est furieux, et la lettre qu'il adresse à sa femme est glaciale, comme s'il la rendait responsable de l'humiliation subie.

Hulda, confondue, comprend qu'on a sans ambages osé accuser son mari de cette « horrible chose », cette prétendue affaire avec Livia. Et lui s'imagine peut-être que c'est elle, Hulda, qui est à l'origine de pareille accusation, qu'elle s'est plainte à sa mère ? Comme il va la détester à présent ! Sont-ils allés jusqu'à parler à Livia elle-même de tout cela ? L'auraient-ils vue ? Où ?

Comment ? Quelle honte pour tous, pense la jeune femme. Jamais, alors, jamais, si c'est le cas, son amie n'acceptera de revenir à Meudon.

Sur ce, encore bouleversée, elle reçoit une curieuse lettre de la famille de Léonard, ces gens de la Mayenne qu'elle connaît à peine – la mère et le frère de son mari, qui leur avaient rendu visite une fois à Stockholm. Et voilà qu'ils lui proposent, à elle, de venir – seule ou avec les enfants – séjourner quelque temps chez eux, là-bas, pour le cas où, écrivent-ils, le voyage de Léonard se prolongerait... Un peu comme s'ils voulaient la prendre, elle et ses petits, sous leur aile ?

Que faut-il penser de cela ? Hulda trouve l'idée incongrue : pourquoi Léonard tarderait-il à rentrer ? Qu'en savent ces gens ? Et quelle folie ! Voyager seule avec les enfants, comment le pourrait-elle ? Quant à partir sans eux, il ne saurait en être question. Il y a dans cette invitation quelque chose d'offensant, de déplacé, dont elle ne saisit pas bien le sens, mais qui ne lui plaît pas du tout, et l'inquiète. Elle écrit en hâte une lettre aussi courtoise que possible pour décliner avec fermeté la proposition.

Or le courrier suivant apporte un nouveau et surprenant message de Léonard : en effet, il ajourne son retour. Il doit, pour une raison confuse, repasser à Stockholm. C'est une lettre brève, froide, impersonnelle, qui n'explique rien, ne dit rien.

Hulda comprend qu'il se passe quelque chose qu'elle est la seule à ne pas savoir. Même ces lointains parents de la Mayenne, ces presque inconnus, en sont informés. Elle pas. Comme s'il y avait une conjuration autour d'elle pour lui cacher la vérité. Comme si elle n'existait pas. Ou peut-être même comme si on avait envie qu'elle n'existe plus !

Perdue, tout égarée, elle ne voit plus de recours qu'en Dieu et retrouve la foi de l'enfance pour prier : puissent les choses redevenir claires, les êtres qu'elle aime parvenir à s'entendre et la vie reprendre comme autrefois. Au-delà, elle ne sait plus rien.

À la maison les portes claquent : Henriette s'est disputée avec la cuisinière et jure qu'elle ne restera plus longtemps dans « cette maison de fous ». La cuisine est en émoi. Personne n'a fait le ménage et le déjeuner était froid. Il pleut depuis le matin. Les enfants s'ennuient : Isidore s'efforce de jouer la même sonate pour la troisième fois sur le piano désaccordé, et cette musique fausse et répétitive a quelque chose d'insensé et de bizarrement funèbre. Eugène et Louise font sans entrain une bataille avec les vieilles cartes suédoises à l'effigie des rois. Hulda, assise devant la fenêtre du salon, regarde jusqu'au vertige la pluie glisser sur la vitre, la petite Eugénie accrochée à sa jupe qui balbutie des paroles sans suite que personne n'écoute.

L'atmosphère est tellement insupportable, tellement lourde, qu'à la première éclaircie, la jeune femme décide de sortir avec les garçons et Louise – pour une fois Nini restera avec les bonnes –, pour faire quelque chose, n'importe quoi, par exemple marcher jusqu'au vieux château de Meudon, celui qui a été incendié par les Prussiens pendant la guerre, en 1871, et dont il ne reste que les murs noircis. Charles lui avait assuré que c'était intéressant à voir. Elle pense que ce serait une bonne chose pour l'éducation d'Isidore et d'Eugène, Léonard l'en féliciterait. Et puis, là-haut, l'air de la terrasse leur fera du bien.

Mais c'est loin, elle a présumé de la force des enfants : à marcher sur une route mouillée et jonchée de feuilles mortes, ils n'ont pas fait un kilomètre qu'ils se fatiguent, et, avec cette mère silencieuse, étrange, qui avance sans un regard pour eux, ni pour rien d'ailleurs, ils s'ennuient, veulent rentrer à la maison. Exaspérée, Hulda leur intime l'ordre de continuer, dit qu'on y est presque, qu'ils doivent faire encore un effort. Les petits se plaignent. Arrivés devant l'étrange ruine, qu'on ne peut d'ailleurs approcher – c'est interdit –, ils se révoltent : les garçons disent que c'est laid, comme tout ce qu'on voit en France, crient-ils en suédois. Honteuse, Hulda essaie de les faire taire : en vain. Des passants se retournent. Les enfants clament qu'ils veulent rentrer. De guerre lasse, elle capitule.

Le chemin de retour est pénible. Et voilà qu'il se remet à pleuvoir. Ils sont partis sans imperméables tant leur mère était fébrile, pressée de quitter la maison. Louise épuisée, pleure, refuse d'avancer, se plante devant sa mère et déclare qu'elle veut son père, tout de suite. Qu'il est bien plus gentil qu'elle, qu'elle est une mauvaise maman, qu'elle ne veut plus d'elle. Son père ! C'est si révoltant à entendre que la jeune femme la tire brutalement par la main pour la faire taire, mais la petite s'arrache à cette main hostile et court loin de sa mère, comme pour la fuir, comme si elle la détestait, comme si elle en avait peur, et s'étale de tout son long sur la chaussée, dans la boue. Hurlements ! le genou est en sang, les mains boueuses, les vêtements salis. Un couple bourgeois qui passait à proximité ramasse l'enfant qui s'étouffe de sanglots. Hulda, abasourdie, bouleversée, assiste passivement à la scène. Ce qui l'a frappée, c'est ce cri de l'enfant, la violence de cette demande : son père ! La chute de la petite, ce n'est pas tant cela qui la trouble, mais l'injustice du rejet qui lui est signifié.

Ces personnes secourables habitent juste à côté : on invite la petite famille à entrer un instant pour laver le genou blessé, le désinfecter. La maison est confortable, chaleureuse. On parle, ou plutôt on pose à Hulda des questions auxquelles elle répond avec brièveté. On s'étonne, on s'intéresse : des Suédois à Meudon ! On insiste pour qu'ils reviennent un après-midi.

Mais la jeune femme est ailleurs, gênée que l'incident se fût produit devant ces gens, angoissée par l'idée nouvelle, confuse, qui a germé en elle avec le cri de sa petite fille. Elle voudrait rentrer. Ces personnes l'insupportent. Elle ne sait comment prendre congé sans être par trop impolie.

Les garçons, eux, sont enchantés de l'aventure, répondent en français avec le sourire. Louise, consolée et pensive, suce le bonbon qu'on lui a offert.

Hulda remercie à contrecœur. Accepte machinalement la carte de visite qu'on lui a donnée. Oui, elle habite près de la gare, chemin de la Station. Elle s'appelle… Elle hésite à donner son nom : Hulda Sèzeneau. Oui, son mari est français. En voyage d'affaires. Elle est consciente de son manque d'amabilité, de sa sécheresse. Et de l'embarras suscité par son attitude.

Vite, rentrer. Fuir. Regagner la maison, l'étrange maison qui est la sienne. Elle y est encore mieux qu'ici.

En route, à l'insu des enfants qui l'ont oubliée, qui, à quelques pas devant elle, bavardent gaiement entre eux, elle déchire la carte qu'on lui a donnée en petits morceaux qu'elle laisse s'envoler au vent.

Un télégramme est arrivé à la maison en leur absence : il est de Livia qui annonce son arrivée pour le lendemain.

Hulda, saisie, éclate en larmes nerveuses, mais ce sont des larmes de joie. Et, du plus profond d'elle-même, elle remercie Dieu.

Ainsi elle est revenue. Parce qu'il le fallait. Parce qu'*elle* le lui avait demandé, et que sa lettre l'avait émue aux larmes. Parce qu'*il* le voulait lui aussi. Mais pour Livia, ce n'avait pas été une décision facile. Pour lui non plus. C'est de cela qu'il est venu lui parler à Stockholm. Ce qu'ils se sont dit, je ne le sais pas. Je ne peux que le présumer.

Oui, ils s'étaient beaucoup vus cet été-là. Et tout, en effet, avait failli basculer. Tout était possible. Tout. Pourtant ils ont décidé qu'elle revienne.

Alors elle est arrivée seule à Meudon, comme ça, sans autre annonce qu'un télégramme.

Émotion de revoir la maison déjà noyée d'automne, le perron, la pergola dont la vigne est maintenant rouge et or...

Au petit bruit des pas sur le gravier, Hulda a ouvert la porte : un cri, et les deux femmes se sont jetées dans les bras l'une de l'autre, pleurant et riant à la fois. Elles se sont assises sur les marches encore enlacées. Tu es venue, répétait Hulda, en suédois, enfin tu es venue...

Et puis les enfants sont accourus, tous les trois criant leur plaisir de retrouver leur gouvernante, et la petite Nini suivait, tout interdite, peinant à reconnaître la nouvelle arrivée.

De loin, du fond du couloir, par-delà la porte laissée ouverte, les bonnes contemplaient ce spectacle étrange.

Livia a tôt fait de remettre la maison en ordre. Pour Hulda, épuisée, déséquilibrée, il était temps : elle se sentait devenir folle, elle le confie à son amie.

De ces mois de solitude et de folie, il lui restera quelque chose, une irrépressible émotivité, une certaine confusion des idées, et ce qu'elle ne peut avouer à personne, pas même à Livia, surtout pas à Livia, cette sourde angoisse, cette peur diffuse d'elle ne sait quoi – elle ne veut pas vraiment le savoir –, mais qui est là, lovée en elle comme une bête obscure.

Anders vit et travaille maintenant à Paris. Il ne venait plus que rarement, et il est à penser que, sachant Livia de retour, il viendra encore moins. Quant à Charles, il a regagné la Suède fâché et mystérieux.

Le bonheur qu'est pour Hulda le retour de son amie, elle ne cesse de le lui dire, de la remercier : l'arrivée de son mari, elle ne la redoute plus autant. Et même, on dirait qu'elle n'y pense plus. Oui, Livia l'a brièvement vu à Stockholm, avant de partir pour Paris. Oui, il va bien, un peu fatigué, mais courageux, dit la gouvernante. Elle pense que son retour en France ne saurait tarder. Quinze jours ? Trois semaines peut-être. Hulda sourit : tout est presque parfait, le monde harmonieux. Elle serait presque satisfaite que son mari n'arrive pas tout de suite.

Curieusement, elle n'a guère demandé à Livia de nouvelles du « fiancé » suédois. Elle s'est contentée pour toute réponse du geste de lassitude de la jeune fille devant sa timide question, et n'a pas insisté, par discrétion, peut-être. Qu'y a-t-il à savoir d'autre ? Elle est revenue, c'est assez. Il lui suffit du bonheur de sa présence, comme aux enfants, d'ailleurs, eux qui avaient été si difficiles, si agités les dernières semaines, et que l'arrivée de la gouvernante a métamorphosés, rien qu'avec sa voix claire, son grand air de santé, son calme, l'ordre qu'elle fait régner dans la maison.

Un peu de temps s'est donc écoulé avant le retour du maître de maison. Et sans doute en avaient-elles besoin l'une et l'autre, Hulda comme Livia, pour se retrouver, prendre ce nouveau départ dans leur vie. Comme une pause tranquille, un entracte bienfaisant.

Rien de théâtral dans la venue de Léonard, il est arrivé sans prévenir, un après-midi du début d'octobre, et, quand il est descendu de la voiture qui l'amenait de Paris, on aurait pu croire qu'il était le même que toujours, élégant, digne et froid. Pourtant il y avait quelque chose de changé, elles s'en sont vite aperçues. Il était fatigué, vieilli, et triste. Triste surtout. Mais c'est la fatigue et le vieillissement qu'a d'abord remarqués Hulda, avec inquiétude. Oui, son mari, tout à coup, avait l'air d'un vieil homme, amaigri, le visage marqué d'une sorte d'abattement qu'elle ne lui avait jamais vu.

Aux enfants un peu intimidés il rapportait des cadeaux, des livres illustrés sur la Finlande pour les garçons, une poupée norvégienne pour Louise. Il avait aussi pour sa femme un châle, et, pour la gouvernante, la dernière publication d'Ibsen : *Peer Gynt*. Mais, à peine arrivé, il est allé s'enfermer dans son bureau. Saisis devant ce comportement, les petits, restés dans la grande pièce, n'osaient plus faire le moindre bruit. Opportunément Livia a mis fin au malaise ambiant en proposant une promenade aux trois grands : ils iraient ensemble au village chercher une surprise pour le dîner.

Restée seule avec la petite Eugénie, dans la maison anormalement silencieuse, Hulda s'interrogeait : quelque chose avait changé en Léonard, quelque chose dont elle ne saisissait pas la nature ; mais, si le vieillissement de son mari suscitait en elle un élan de tendresse, elle sentait confusément aussi que, pour d'autres raisons, il lui échappait plus que jamais.

Mais Livia était là, et tout irait bien.

Le soir de son retour, Léonard n'est pas monté dans la chambre sous le toit. Livia l'a attendu, longtemps, mais il n'est pas venu, et elle a pensé qu'il était normal qu'il en soit ainsi, que c'était juste. Mais elle a commencé de l'attendre pour le lendemain.

Le lendemain soir, il était très tard quand, en effet, il est entré, doucement, à sa façon habituelle, poussant simplement la porte qu'il savait trouver ouverte pour lui. Mais les choses ne se sont pas passées comme tant de fois.

D'abord, ce soir-là, elle n'était pas encore couchée, n'avait pas même ouvert son lit, la lumière était toujours allumée – une petite lampe posée sur la commode au fond de la pièce –, et elle, à demi vêtue d'une longue chemise blanche, les cheveux épars, ses étonnants cheveux d'or roux, cherchait on ne sait quoi dans un tiroir. En l'entendant entrer, elle a juste tourné la tête vers lui, dénudant dans ce mouvement son épaule gauche. Et ce qu'elle a vu alors lui a fait

comprendre qu'il arrivait quelque chose de nouveau, et l'a figée dans un geste inachevé.

En entrant, il avait repoussé la porte derrière lui
et s'y était appuyé de tout son dos. Il était habillé
des vêtements de ville qu'elle lui avait vus toute la
journée, veste et gilet boutonnés sur une chemise
blanche. Seule la cravate était desserrée. Il y avait
dans sa posture quelque chose de volontaire et de
las à la fois, de violent et de résigné, tout le corps
prenant appui sur cette porte refermée, planté sur
ses fortes jambes d'homme légèrement écartées
comme pour affirmer sa position.

Il n'a pas parlé tout de suite et elle le regardait,
dans l'attente de ce qu'il allait dire, mais qu'elle
avait déjà deviné.

Sa voix, alors, quand il a commencé à parler,
elle l'a à peine reconnue, bizarre, étranglée,
basse et pourtant semée d'éclats curieusement
hauts, un peu comme celle d'une femme qui va
pleurer, ou d'un homme malade, un homme qui
ne serait plus tout à fait un homme. C'est en tout
cas l'impression qu'en a eue Livia. Et, pour cet
homme défait, détruit, elle a éprouvé une grande
pitié, et un amour si grand qu'il en était douloureux.

Ce qu'il lui dit, en substance, à travers beaucoup de mots, trop de mots, maladroits, cruels,
c'est qu'il ne la verra plus ici, que leur liaison
est terminée, qu'elle était impossible, et qu'il lui
demande pardon.

Elle ne bouge pas. N'a pas un geste, pas une
parole pour le retenir. Elle est simplement là,

dans l'éclairage jaunâtre de la petite lampe, tandis que lui, dans l'ombre, est déjà comme en train de disparaître.

Elle est la servante, il est le maître, il n'y a rien de plus à dire, et tout dans leurs attitudes respectives le rappelle.

Il n'a pas évoqué les nuits d'autrefois, ni celles plus récentes de Stockholm, en juillet et en septembre. Il n'a pas rappelé la beauté et la force de ce temps volé.

Il n'a rien expliqué. Elle a compris.

Quand, enfin, il s'en va, avec effort semble-t-il, et que la porte se referme derrière lui, la chambre abandonnée redevient une banale chambre de bonne, avec sa décoration naïve et son lit étroit. Ce n'est plus une chambre d'amour. Ce ne le sera jamais plus.

Elle range avec soin les quelques vêtements qui traînaient encore, un corset, ses bas. Elle éteint la lampe et se glisse dans les draps froids.

Longtemps elle regarde le rectangle opalescent de la fenêtre, le reflet dansant de la croisée sur le mur de sa chambre.

Elle n'est pas triste, simplement absente.

Ce que la gouvernante ne sait pas, ce qu'elle va lentement découvrir au cours des semaines qui vont suivre, c'est qu'elle est enceinte, qu'il y a un enfant dans ce ventre longtemps si plat, un enfant qui, si les choses suivent leur cours, devrait naître à peu près en juin de l'année à venir.

Pour le moment, elle accomplit consciencieusement son travail, s'occupe des petits plus que jamais attachés à elle, veille sur Hulda qu'elle a trouvée très changée, amaigrie, négligée, et dont la nervosité est devenue inquiétante : la jeune femme éclate en larmes sans raisons, se fâche contre les enfants, contre les bonnes, égare ses affaires et se plaint d'être volée. Elle a définitivement renoncé à donner des leçons aux garçons, n'en parle même plus. Son seul plaisir est de demander à Livia de s'asseoir à côté d'elle dans la grande salle et de lui faire la lecture ; ou de se mettre au piano et de jouer avec elle un morceau à quatre mains, par exemple *Le Mal du pays* de

Liszt, qu'elle aime particulièrement. Et alors elle devient sentimentale, presse son amie de lui parler de Stockholm, qu'elle a eu la chance de revoir. Allons, qu'elle lui raconte ce qu'elle a fait, où elle est allée, ce qu'elle a vu, qui elle a rencontré ! « Et ce jeune homme, ma chérie, ose-t-elle un jour redemander, qu'en est-il ? Finalement vous ne m'avez rien raconté... »

La gouvernante l'interrompt un peu sèchement : il n'y a rien à dire, c'est fini, voilà tout. Et elle se dérobe à l'émotion de celle qui veut l'embrasser. « Vous savez, Hulda, ces choses-là, quand elles sont terminées, mieux vaut en rire... » Et, vivement, elle affecte de ranger les partitions, de remettre un coussin à sa place, d'ouvrir plus largement un rideau pour faire entrer la lumière. La jeune femme la regarde, admirative, subjuguée : « Je voudrais tellement être comme vous, Livia. » On sent qu'elle aurait envie de parler, de confier sa peine, un secret. Mais, là-dessus, la gouvernante est inflexible : il n'est pas question qu'elle entende ce genre de confidences.

Léonard travaille beaucoup. La plupart du temps il ne rentre de Paris que par le dernier train. Quand il partage la table des deux femmes, il est courtois, mais distant. On parle des enfants, de leurs progrès éventuels, de la conduite de la maison ; rarement du monde extérieur, « le monde, le vaste monde », pour ces trois êtres n'existe pas, dirait-on. Un peu comme si la maison de Meudon était à jamais leur microcosme.

De ses soucis matériels – qui sont grands, l'avenir le dira –, Léonard Sèzeneau ne parle jamais, ni d'aucun autre non plus. Il offre aux regards l'aspect lisse et irréprochable d'un homme distingué et vieillissant.

La conversation, de suédoise qu'elle était autrefois, puis de français et de suédois alternés, est devenue exclusivement française. Mais Léonard ne se donne plus la peine de corriger les fautes de sa femme.

C'est seulement lorsqu'elles sont seules que Livia et Hulda parlent suédois.

Anders, qui ne venait plus à Meudon, fait, un dimanche, une apparition. L'ambiance sera glacée, les propos surveillés : les deux beaux-frères se dévisagent sans aménité, mais il n'y aura pas de mot déplacé. Hulda pourra écrire à sa mère que, «grâce à Dieu, tout s'est bien passé !».

Quelqu'un d'autre aussi est revenu chemin de la Station : le pasteur de Bellevue, avec sa longue figure et sa bible usée. C'est Léonard qui l'a reçu, et lui a fait le meilleur accueil. Dorénavant, on verra plus souvent le digne personnage à la maison.

Ce que ces mois ont été pour Livia, on peut l'imaginer sans peine, bien qu'apparemment elle ne se soit confiée alors à personne et n'ait, que je sache, tenu aucun journal.

D'abord, il y a eu l'angoisse de comprendre la réalité de ce qui lui arrivait, puis l'espoir de s'être trompée, enfin l'attente que la nature, peut-être, détruise ce qu'elle avait fait. Pour cela, elle malmène son corps, le fatigue autant qu'elle peut, avec une espèce de volupté. Jamais la gouvernante ne s'est autant épuisée, faisant le travail des bonnes à leur place, montant et descendant follement le long escalier. Un jour, elle manque une marche, et tombe, au grand émoi de Hulda : mais sans autre résultat qu'une sérieuse entorse. Se souvenant de récits faits par sa mère, elle achète alors dans une pharmacie, à Paris, de la farine de moutarde et s'administre dans sa chambre des bains de pieds glacés : en vain. Elle tente même, en dormant la fenêtre grande ouverte sur la nuit froide de décembre, d'attraper une pneumonie, mais n'y gagne qu'un rhume persistant.

Elle est si mince que, les premiers mois, personne ne saurait voir la transformation de son corps : sinon elle-même, à son effroi, quand elle est nue, dans l'intimité de sa chambre. Ce n'est qu'au cinquième mois qu'elle a recours à des bandes de toile découpées dans un drap pour comprimer son ventre. Étrange travail, qu'elle accomplit le matin très tôt, comme un premier devoir, rendu chaque jour un peu plus difficile. Ce bandage étroit lui permet de se passer du corset, auquel, de toute façon, depuis plus d'un an elle renonçait souvent, et dont la simplicité élégante des robes qu'elle porte pouvait la dispenser.

Longtemps on ne remarque rien, ni Hulda, ni Léonard, qui, de toute façon, évite la jeune fille, semble ne pas la voir, et s'en tient avec elle, quand ils sont en présence l'un de l'autre, aux propos les plus anodins, d'un ton qu'il veut indifférent. Le ton à vrai dire que, depuis son retour, il a adopté avec les autres membres de la famille.

Mais si les modifications de la silhouette de la gouvernante passent encore inaperçues, croit-elle, sa fatigue et ses nausées risquent aussi de dénoncer son état. Hulda s'alarme bientôt de sa pâleur, de son manque d'appétit. Un après-midi d'avril, comme Livia aborde son septième mois de grossesse, le corps martyrisé par le carcan qu'elle s'impose, elle s'évanouit sur le canapé où elle avait commencé un travail de couture, assise à côté de son amie, qui aussitôt s'empresse, lui tapote les joues, les mains, court chercher de l'eau fraîche – elles sont seules, les bonnes sont sorties –, lui bassine le front, et fait mine de desserrer son corsage... Lorsque la jeune fille revient à elle et arrête son geste avec une promptitude bizarre. « Mais ma chérie, qu'est-ce qui vous arrive ? » s'étonne Hulda, doublement surprise. Mais déjà la malade s'est reprise, précipitamment levée : « Ce n'est rien, je vous assure, ce n'est rien, murmure-t-elle de façon confuse, ne vous inquiétez pas. Tout va bien... C'est juste un peu de fatigue. » Et, bredouillant quelques mots d'excuse, elle monte dans sa chambre.

Quand, une heure plus tard, elle redescend, recoiffée, sereine, de l'incident il ne paraît plus rien.

Hulda, inquiète, insiste pour qu'elle consulte un médecin, par exemple celui qui était venu soigner le petit Eugène. Mais la gouvernante élude la proposition : « Vous disiez vous-même qu'il ne vaut rien, vous ne vous rappelez pas ? J'irai voir quelqu'un à Paris. »

Elle mettra quinze jours encore avant de se décider. Quinze jours au cours desquels elle a cru dix fois se trahir. Il lui semble que même les bonnes commencent à jeter sur elle des regards suspicieux. Enfin, elle se résout à prendre son après-midi pour aller à Paris voir un médecin dont elle a trouvé le nom, dit-elle, dans le journal, « quelqu'un de très bien ».

Au retour, elle annonce qu'on lui a trouvé une grave anémie due à l'épuisement. Le médecin proposait une cure en France, mais elle ne se remettra, dit-elle, qu'en Suède, à Stockholm, chez elle. Hulda ne doit pas s'inquiéter : elle reviendra, c'est cette fois absolument certain, guérie et heureuse de les revoir tous, de retrouver la maison, cette maison qui est la sienne à présent. Elle a seulement besoin de prendre un peu de repos. Elle est désolée du trouble que ce brusque départ apportera, mais le médecin a insisté, dit-elle, elle est en plein surmenage, il faut absolument qu'elle se repose si elle veut un jour retrouver la santé. Dans un mois elle sera de nouveau là.

Hulda se désole, pleure un peu, mais comprend : du moment que son amie a promis de revenir, elle saura l'attendre. Et Léonard lui-même insiste pour que, surtout, la jeune femme se soigne. A-t-il entrevu la vérité ? Rien ne permet de le dire. Ni de l'infirmer.

Ce n'est bien sûr pas en Suède que la gouvernante est partie se reposer : le jour où elle avait prétendument consulté à Paris, elle s'était assuré les services d'une sage-femme dont elle avait trouvé l'annonce dans le journal. Cette personne, qui habitait le quartier de l'Europe, rue de Lisbonne, acceptait de la prendre en pension jusqu'à l'accouchement, dont elle se chargerait seule, et discrètement.

La chambre qu'occupe Livia dans l'appartement de cette femme ouvre par une petite fenêtre sur une cour. Elle est au cinquième étage. En face, pas de vis-à-vis, mais le haut d'un mur jaune, et une envolée de cheminées blanches couronnées de petits chapeaux couleur brique. Au-dessus, le ciel variable de Paris, les nuages, *les merveilleux nuages*.

Curieusement, la jeune femme n'a pas été aussi heureuse depuis longtemps : tant est grand pour elle le soulagement de n'avoir plus à se cacher, de laisser son corps prendre l'espace dont il a besoin, de pouvoir sortir dans la rue sans craindre le regard d'hommes et de femmes qui ne la trouveront pas coupable d'être enceinte.

L'enfant qu'elle attend lui est indifférent. Elle ne l'a pas voulu. Elle attend seulement d'en être délivrée. Ce qu'elle en fera, elle ne le sait pas encore très bien : l'abandonner à l'Assistance publique, ou le mettre en nourrice quelque part, mais sans espoir de pouvoir un jour vraiment s'en occuper. Il est pour elle hors de question d'élever un enfant sans père, et elle sait bien que le père de celui-ci n'existera jamais pour lui. Qu'il appartient à ses propres enfants, et à sa femme. Cela aussi elle le sait. Elle l'a toujours su.

Quand elle pense à Léonard Sèzeneau, c'est sans tristesse. Sans amertume. Elle s'interdit d'ailleurs toute espèce de sentiment hors le bonheur d'être auprès de lui pour s'occuper de sa famille. Comme si elle avait en quelque sorte été créée pour cela. C'est ce qu'il attend d'elle, ce qu'il lui a dit le dernier jour où ils se sont vus dans la chambre de Meudon, tout le temps qu'il lui a parlé de façon si étrange, appuyé contre la porte, sans un regard pour elle. Sans se permettre un regard sur elle.

Ce qu'elle attend, maintenant, c'est, libérée du poids qui occupe son ventre, de pouvoir revenir là-bas, avec lui, avec eux. C'est vers cela que tend toute sa volonté, toute son énergie.

À Hulda, elle écrira depuis sa chambre de la rue de Lisbonne quelques lettres, brèves, insignifiantes, où elle se borne à dire qu'elle va mieux, qu'il fait très beau à Stockholm, sous le ciel bleu de juin, ce ciel qu'elles connaissent si bien toutes les deux, qu'elles aiment si tendrement. Ses lettres, sous double enveloppe, elle les expédie à Stockholm à une ancienne bonne de sa mère avec mission de les renvoyer à Meudon, sous enveloppe, dûment estampillées. Hulda répond par de petits mots pleins d'émotion où elle lui répète inlassablement combien elle lui manque, et que les enfants parlent sans cesse d'elle. De Léonard, elle ne dit rien, sinon qu'il est fatigué et que l'agitation des enfants le rend nerveux. Elle redoute pour lui – et pour elle – le nouveau voyage qu'il doit faire en Scandinavie en juillet : « Mais, ma très chère Livia, vous serez rentrée alors, n'est-ce pas ? Vous serez avec moi ? »

Dans les premiers jours de juin 1876, un peu prématurément, la gouvernante met au monde un petit garçon très maigre à laquelle elle donne le prénom de Georges, en souvenir de son propre père. Mais, déclaré de père inconnu, elle ne le reconnaît pas. Pas pour le moment.

On s'aperçoit qu'il souffre d'une légère déformation de la colonne vertébrale. Peut-être est-ce dû au carcan qu'elle s'est imposé si longtemps pour dissimuler sa grossesse.

Livia se donne quinze jours pour nourrir son enfant et prendre une décision quant à son sort.

Étrange confrontation que celle de cette jeune mère si peu maternelle et de ce petit enfant chétif, mal venu, et apparemment sans avenir. Le bébé pleure beaucoup, vomit, sent mauvais. Même quand il se tait, quand il dort, il n'est pas joli à regarder, avec sa peau rouge et ridée qui le fait ressembler à un petit vieux. On chercherait en vain une ressemblance entre le pauvre petit être et sa mère, et encore moins son père. Non, le beau Léonard n'a rien à voir avec « cela ».

Les premiers jours, Livia lui donne le sein : elle a un beau lait, vigoureux, dont le bébé se saisit avidement. Puis elle tente de l'habituer elle-même aux biberons de lait de vache, « puisque, de toute façon, il devra s'y mettre, avait dit la sage-femme, autant que ce soit avec vous ; mais, vous savez, il y en a qui ne supportent pas le sevrage… » avait-elle ajouté laconiquement. Et, s'était alors demandé Livia, est-ce que ce ne serait pas ça, cette issue-là, qui serait le plus souhaitable, ça qu'elle attend plus ou moins consciemment ?

Mais quand elle nourrit l'enfant, elle s'étonne de voir avec quelle énergie la petite chose s'accroche à la vie : que ce soit le sein ou le biberon, tout lui est bon, et la jeune femme finit par s'émouvoir de tant de constance. Elle regarde les petites mains affamées qui battent l'air quand arrive le repas, puis s'apaisent doucement, dans la gratitude de ce qui a été reçu.

Quand elle change le bébé, le petit corps nu et désarmé, jambes et bras maigres, ventre ballonné, pourrait faire horreur s'il ne faisait pitié, si le sentiment de sa fragilité n'entraînait le besoin de le protéger, de l'aider à grossir, à grandir, de le protéger du froid, et de la cruauté des hommes. Car c'est cela aussi qui attend le petit bâtard malingre, Livia le sait bien.

Son père, son père à elle, ce qu'il penserait, ce qu'il aurait pensé de cette naissance, elle l'imagine sans peine. Elle croit entendre sa fureur, son indignation. Elle les a assez souvent entendus ses coups de gueule d'acteur ! Georges Bergvist et son sens de la dignité, de la respectabilité, tout histrion qu'il était, on le connaissait pour cela. On savait le soin jaloux qu'il avait eu de marier dans le plus grand honneur et magnifiquement ses filles aînées, l'autorité qu'il avait toujours exercée sur leur jeunesse, les discours moraux qu'il leur avait tenus, qu'il lui a tenus à elle, la fille sans dot, la non mariable, alors que, déjà vieilli, déchu, dépouillé, il pouvait pressentir quel serait son sort.

Elle se souvient de ses colères contre sa femme Myrta, contre son laxisme, sa légèreté, l'exemple qu'elle donnait à ses filles, ses velléités d'indépendance conjugale, ses discours sur la liberté sexuelle. Cette scène notamment, elle se la rappelle comme si c'était hier : elle entrait dans la pièce tandis que son père hurlait à l'adresse de sa femme en larmes. «Tu n'as rien à vouloir, vociférait-il, hors de lui-même, tu m'entends, rien... Car tu n'es rien... Qu'une actrice de second rang, une putain, et une traînée ! » Quel âge avait Livia quand elle avait surpris ce drame ? Quatorze ou quinze ans. Elle s'était promptement esquivée, bien sûr, dans un mélange d'effroi et d'admiration secrète pour ce père-là.

Non, elle n'avait pas voulu faire de théâtre, et elle n'était pas une putain, mais elle était tout de même devenue ce qu'il aurait sans doute qualifié de «traînée».

Son père ! Comme elle se plaît à penser à lui à présent. Comme elle lui pardonne son égoisme, sa dureté, ses exigences, son bizarre puritanisme : elle a l'impression de tout comprendre. Cette rigueur étrange du comédien, comme pour se faire pardonner sa naissance illégitime, oublier sa jeunesse de bâtard, en guérir la souffrance. Car c'en était un, lui aussi, de bâtard : il ne s'en vantait pas, c'est par hasard qu'elle l'avait appris. Il était le fils de la gouvernante d'un riche aristocrate suédois. Le fils de la servante. Aujourd'hui, elle s'amuse tristement de cette répétition des destins. Et, peu à peu, sa décision se fait claire : elle n'abandonnera pas son enfant. Elle le mettra en pension, et s'en occupera de loin, comme elle pourra.

La précieuse sage-femme lui a donné l'adresse d'une nourrice à Montrouge, dans la banlieue sud de Paris.

Un matin de juin, la gouvernante y conduit le bébé sans émotion, sans état d'âme, juste parce que les choses sont ainsi, et que c'est la seule solution qu'elle ait trouvée. Dans le fiacre qui les emmène tous les deux, elle regarde la petite chose à laquelle elle a donné la vie avec plus de curiosité que d'amour. À moins que ce ne soit un amour qui ne dise pas encore son nom. Peut-être parce que, pour elle, ce sentiment-là n'a pas droit de cité.

Le soir même, elle sera à Meudon. Elle n'aura été absente qu'à peine quatre semaines.

Dès son arrivée, l'extrême fatigue de Hulda l'a frappée, ses traits tirés, son teint blême, ses gestes comme ralentis : derrière la joie de son accueil, on lit l'épuisement. La jeune femme n'en finit pas de dire sa joie de voir son amie revenue et le suédois lui est doux alors pour naïvement l'exprimer : « Et sais-tu que je ne t'attendais pas même si tôt ! Quelle bonne surprise ! Quelle chance ! Mais dis-moi, quand as-tu donc quitté Stockholm ? Raconte-moi, raconte-moi tout... »

Les deux jeunes femmes sont assises à côté l'une de l'autre, comme avant, devant la cheminée. Et Livia parle, raconte... Ce qu'elle dit, elle le dit si bien qu'elle le voit vraiment. Elle ment très bien, Livia. Elle a toujours aimé jouer la comédie, on lui disait autrefois qu'elle était douée, qu'elle aurait dû faire du théâtre, suivre la trace de ses parents. À l'occasion elle retrouve ce goût, ce don. Mais, tout en parlant, elle observe Hulda, remarque le cerne sous les yeux, les petites rides nouvellement apparues, et elle s'inquiète. La jeune femme a changé, vieilli.

Comment s'est-elle débrouillée en son absence ? Plutôt mal que bien, lui répond-on avec le sourire. Et, dans un regard, ce regard d'enfant si dense, si ouvert qui émeut toujours Livia, elle ajoute, « mais je savais que tu allais venir… ».

Les petits vont bien, paraît-il. Léonard aussi.

« Je ne le vois pas beaucoup, poursuit Hulda, sans remarquer l'ombre passagère sur le visage de son amie, il a tant de travail. Il rentrera tard ce soir encore. Mais c'est un bon mari, tu sais. »

La gouvernante ne se demande pas ce que la jeune femme entend par là. Elle sait. De la jalousie ? Non. Une fois de plus elle éprouve seulement l'émotion de l'ancienne pitié l'envahir.

L'arrivée des enfants que la bonne vient de faire dîner à la cuisine fait diversion. Avant d'aller se coucher, ils obtiennent de rester un moment avec Livia. Même Nini est heureuse de retrouver la gouvernante : cette fois, elle l'a bien reconnue et grimpe sans façons sur ses genoux. « Vous restez pour toujours maintenant, vous n'allez pas repartir ? » demande Isidore avec un peu d'inquiétude. C'est un grand de presque huit ans : il sait de quoi il parle.

Un instant, rien qu'un instant, Livia évoque le petit visage souffreteux de son enfant, l'atmosphère close de la chambre de la rue de Lisbonne.

« Non, cette fois je ne repars pas, dit-elle enfin. Je reste avec vous. »

Et c'est la plus grave promesse qu'elle ait jamais faite. Elle est là, avec eux, pour toujours.

Au cours des semaines qui suivent, on dirait que, malgré la présence de la gouvernante, la fatigue de Hulda persiste, s'affirme. Est-elle malade ? Elle dit que non, que ce n'est rien, une fatigue passagère, un peu de neurasthénie, peut-être. Elle refuse de voir le médecin, que ce soit sur place ou même à Paris : au reste Léonard va bientôt repartir, il ne faut pas l'inquiéter avec ce genre de choses, il a tant de soucis.

C'est vrai que Léonard est de plus en plus ombrageux, renfermé, ou, quand il se mêle à la conversation, brusque dans ses propos, même avec la gouvernante. Voilà qu'il s'inquiète gravement de la scolarité des garçons : il est plus que temps, répète-t-il, de les envoyer dans un pensionnat qui les prépare à leurs futures études. Cette idée désespère sa femme : se séparer de ses enfants, elle ne peut s'y résoudre.

Livia a beau la rassurer, lui dire que ce serait pour leur bien, que Léonard a raison, qu'elles ne peuvent, ni l'une ni l'autre, assurer à des enfants de cet âge une scolarité normale, que quelquefois il faut savoir se séparer, Hulda ne veut rien entendre : « On voit bien que tu n'as pas d'enfant ! » lâche-t-elle brutalement.

Chaque mois la gouvernante prend sa journée, prenant prétexte d'une quelconque activité culturelle dont elle fera à son amie le récit détaillé au retour, pour se rendre à Montrouge. Si chétif qu'il ait pu sembler, le bébé grandit, ouvre sur le monde des yeux bleus étonnés qui donneraient de la beauté au visage, n'était le teint rougeâtre, le nez vilainement retroussé. Pour cet enfant, elle n'a pas d'amour, mais une sorte de tendresse honteuse. C'est le devoir qui dicte ses visites, l'oblige au pesant voyage à Montrouge, le devoir seul.

Au fond, c'est vrai ce que lui a dit Hulda : elle n'a pas d'enfant. Elle ne sait pas ce que c'est, d'avoir un enfant. Ses enfants à elle, ce sont ceux des Sèzeneau. C'est pour eux qu'elle s'inquiète. Pour eux qu'elle vit.

Le nouveau voyage de Léonard, parti début juillet, devrait se terminer en septembre. Pour Hulda et Livia, ce seront deux mois à vivre seules avec les enfants. Cela ne leur fait pas peur. Jamais elles n'ont été plus conscientes de leur amitié, jamais elles ne se sont senties plus étroitement liées. Pourtant, Hulda est soucieuse, préoccupée de quelque chose qu'elle ne dit pas. Elle parle encore beaucoup de sa mère, du manque qu'elle éprouve de sa présence, de sa tendresse, et de la tristesse de l'incommunicabilité : «Les lettres ne suffisent pas, quand on est loin, et même, il arrive, murmure-t-elle, qu'elles fassent du mal. Parce que les mots une fois écrits, tu comprends, sont parfois pires que les paroles.» Et la jeune femme n'ose pas préciser les reproches terribles que contiennent ces lettres maternelles, pourtant si tendres, les mises en garde réitérées, inoubliables, qu'elles formulent.

C'est au cours des longues heures passées ensemble, le soir, une fois les enfants couchés, qu'elle confie à la gouvernante un tout autre souci : elle est enceinte.

Livia ne peut réprimer un pincement de cœur. Une douleur secrète, obscure. Hulda n'en voit rien, et poursuit d'un ton las : elle n'en était pas certaine, mais maintenant elle l'est. L'enfant devrait naître en mars.

« Mais, s'étonne son amie, tu n'en es pas heureuse ? Tu as l'air désolée ! Enfin, Hulda, un enfant, dans un foyer, entre un homme et une femme, est-ce que ce n'est pas une joie ?

— Bien sûr, une joie. Mais ce n'est pas si simple. Il y a les difficultés matérielles que tu connais, et avec un enfant de plus... Et puis, ma santé n'est pas bonne, je le sens : ça ne se passe pas cette fois-ci comme pour les autres enfants. Je ne sais pas pourquoi, j'ai peur. »

Livia essaie de la rassurer, lui rappelle combien ses enfants sont beaux, qu'elle est faite pour la maternité. Mais, malgré elle, elle regarde le petit visage émacié, les poignets trop fins, les mains marquées de veines trop apparentes.

Il y a un silence.

Puis c'est Hulda qui reprend, d'une voix à peine audible, un murmure : « Le pire, c'est que Léonard ne le sait pas. Pas encore. Et il ne sera pas content. Si je pouvais te dire... »

Sans achever, éclatant en larmes, elle cache son visage contre la poitrine de son amie.

Ce qu'elle avoue alors, pour la première fois,

par bribes, et en sanglotant, c'est que son mari n'est pas aussi gentil qu'il y paraît, tout au moins qu'il ne l'est plus, qu'il a beaucoup changé, qu'elle ne le comprend pas, qu'il est plus dur que jamais, intransigeant, plein de mépris pour elle, qu'il lui fait peur, et que, dans ces conditions, avoir un nouvel enfant, ce n'est pas si facile... Est-ce que Livia le comprend, est-ce qu'elle peut comprendre cela ? Et, levant la tête, à travers ses larmes elle regarde son amie, qui, elle, tout en la serrant dans ses bras, ne la voit pas, ne la regarde pas, et se tait, perdue dans l'émotion de ce qu'elle entend. Quand, enfin, elle arrive à dire quelque chose, c'est une banalité mais c'est aussi ce qu'elle croit très profondément : « Mais Hulda, ma chérie, Léonard t'aime, j'en suis absolument sûre, moi. » Et elle revoit la scène de la chambre, là-haut, ressent à nouveau dans son corps la détermination de cet homme appuyé contre la porte. Il est bien évident que c'est sa femme, et elle seule, qu'il aime.

« Tu crois ? Tu le crois vraiment ? répète la petite femme enfant dont on sent si fort la volonté de se laisser persuader que c'en est bouleversant.

— Bien sûr que je le crois. Sois tranquille : je le sais. »

Hulda se calme peu à peu. Elle oublie les mots employés par sa mère. Elle oublie l'ombre terrible des images suggérées par elle. Elle oublie *la chose affreuse*. Elle oublie l'étrangèreté cruelle de son mari, et c'est la tendresse de son amie qu'elle écoute, qu'elle croit. Livia lui a dit qu'elle se trompait, et elle est là, avec elle… N'est-ce pas la preuve que tout va bien, que la vie va redevenir normale, et qu'elle peut dormir en paix ?

Un des derniers jours de l'absence de Léonard, fin septembre, Livia propose à la jeune femme, qu'elle sent encore inquiète, nerveuse, une promenade sur la Seine, sur ce bateau à roues dont on a parlé dans le journal : il fait très beau, on pourrait aller de Meudon à Sèvres et revenir. On emmènerait les deux garçons. Qu'en pense-t-elle ?

D'abord réticente – la dépense, sa fatigue, le souci de laisser les petites filles aux bonnes peu fiables –, Hulda se laisse convaincre.

Un ponton a été construit au bord de l'eau. Le fiacre de Bellevue y conduit, qui les prend à la gare. Les enfants sont fous de joie à l'idée de prendre la voiture à cheval, de voir du monde, et surtout de monter sur un bateau, comme si on partait en voyage, dit Isidore. Hulda sourit : maintenant, elle aussi est contente.

Cet après-midi, le ciel est bleu comme il ne l'a pas été depuis longtemps. Les bois des bords de Seine sont tout dorés d'automne, avec, çà et là, des taches rousses, ou l'éclat rose d'un toit de tuile.

La découverte du bateau, la puissance du ronronnement des roues, à bord la bigarrure des robes des passagères, l'élégance factice de l'uniforme blanc du commandant, tout enchante les garçons, qui ne se privent pas de crier leur enthousiasme en suédois. La gouvernante les prie à voix basse de se calmer mais les voyageurs ont un regard indulgent et amusé pour le petit groupe. Un son de trompe annonce le départ, et la cadence des roues s'amplifie magnifiquement. Très excités, les petits demandent s'ils peuvent faire le tour du bateau, et comme Hulda le permet, à condition qu'ils soient prudents, ils s'en vont en courant, dans le bonheur.

Les deux jeunes femmes, appuyées au bastingage, regardent défiler le paisible paysage, bois, petits villages, propriétés isolées qui jouent les châteaux dans un parc désert, fabriques grisâtres hérissées de cheminées.

« Sais-tu, dit soudain Livia, que Flaubert parle d'un bateau semblable dans un de ses derniers romans, *L'Éducation sentimentale*. Le héros le prend pour aller de Rouen à Paris, et c'est là qu'il tombe amoureux d'une inconnue... »

Hulda n'a pas lu ce livre, mais un souvenir la rend toute rose : elle connaît cet auteur ; elle a entendu parler de *Madame Bovary* par Léonard. C'est justement ainsi qu'elle l'avait rencontré, raconte-t-elle : il faisait une conférence sur ce roman du temps qu'il était professeur... Et sur son visage passe fugitivement la lumière de ces jours d'autrefois, où tout était espoir.

« Comment parlait-il, demande Livia, je veux dire de quelle façon s'adressait-il au public ? Quel genre de professeur était-il ?

— Oh ! sourit la jeune femme, c'était merveilleux : il disait les choses simplement, et on les voyait, même moi qui maîtrise si mal le français. Tout le monde était ravi. Et je crois qu'il était heureux lui aussi. Oui, on sentait qu'il était heureux...

— N'est-ce pas dommage qu'il n'ait pas continué à enseigner ? »

Hulda se tait. Elle n'a pas de réponse à cette question. Elle dit seulement qu'ils avaient très peu d'argent quand ils se sont mariés ; la situation était si difficile, surtout avec la naissance d'Isidore, que Léonard s'est laissé tenter par le poste qui lui était proposé par l'intermédiaire de son beau-père. Il fallait bien. Mais il a brillamment réussi, non ?

La gouvernante acquiesce en souriant. Mais elle est ailleurs. Elle se rappelle sa première rencontre avec Léonard, dans le hall de cet hôtel de Saint-Pétersbourg, se souvient de l'impression qu'il lui avait faite, du charme qu'avait eu pour elle leur brève conversation littéraire. Est-ce que la vérité de cet homme n'était pas là ? se demande-t-elle silencieusement, là sa véritable vocation ? Elle évoque son expression actuelle contrainte, amère ; ses silences. Est-ce qu'on ne pourrait pas voir sa vie d'aujourd'hui comme celle d'un être forcé, fourvoyé, et, finalement, d'une victime des circonstances? ou de la société? Et s'il n'avait été mené que par une fausse idée de lui-même?

Pourtant, comme elle voit s'assombrir le visage de son amie, elle ajoute précipitamment: «Mais il est heureux aussi comme ça, Hulda, il t'a, toi et vos enfants merveilleux. Cela compense toutes les vocations déçues...

— Tu crois vraiment? demande la petite voix.

— Oui, je le crois profondément. Beaucoup voudraient être à sa place.»

Dans un élan enfantin, Hulda se penche vers son amie pour l'embrasser.

De petits nuages blancs flottent dans ce ciel qui semble encore d'été. Il y a comme un air de bonheur alentour, dans la fraîcheur des rives, l'éclat de la rivière, le sourire des passagers, et les dernières paroles de Livia.

On dirait que le temps a bien voulu, un moment encore, s'arrêter.

Comment, à son retour, Léonard aura réagi à l'annonce de la grossesse de sa femme, Livia ne le saura pas expressément, et rien dans son attitude ne permet de le deviner : en public, il est toujours le même personnage courtois, mais distant, impénétrable. Peut-être plus absent encore qu'avant, plus silencieux. C'est au visage de Hulda, à l'espèce d'affaissement de son corps, à la tristesse de son visage qu'elle peut imaginer que les choses se sont mal passées, mais la jeune femme ne dira rien, pas un mot qui puisse donner une image négative de son mari. Pourtant, même si elle ne se confie plus, elle a peur, Livia le voit bien, peur d'un regard, peur d'une inflexion de sourcil, peur d'un geste qui traduise l'agacement, la réprobation, à table, quand ils dînent ensemble, ou quand, plus rarement, il leur tient compagnie le soir, devant la cheminée. Et honte. Honte comme si elle était coupable.

De l'enfant à venir, il ne parle jamais à la gouvernante. Comme si cela n'existait pas. Comme si ce ventre qu'on voyait grossir de jour en jour sous le casaquin gris boutonné ne signifiait rien. Ni la mine fatiguée, le teint jaune de la future mère. Livia songe à la vision première qu'elle avait eue, à Stockholm, de cette jeune femme enceinte, lumineuse, si gracieuse dans son long déshabillé de mousseline rose. Elle pense aussi à son propre gros ventre d'il y a quelques mois, écrasé, nié, sous les bandages de drap blanc. Hulda n'est aujourd'hui guère plus heureuse qu'elle-même ne l'était quand elle portait un enfant interdit.

Quand elles sont seules, la jeune femme pourrait être plus détendue, mais il semble que ce soit alors quelque chose d'autre qui la tourmente, quelque chose qu'elle ne dit pas, une pensée secrète, récurrente, qui survient comme ça, on ne sait comment, et laisse une petite ride entre ses sourcils, et dans son regard, de plus en plus souvent, cette ombre.

Elle a toujours du mal à se lever le matin, même si Livia vient elle-même la réveiller, la presser de venir prendre le petit déjeuner avec elle et les enfants, lui disant qu'il fait beau, qu'il y a un peu de soleil, en bas, dans la grande pièce. Tout l'ennuie d'avance, il n'y a pas de projet qui la tente, et les enfants la fatiguent, même la douceur de Louise, la drôlerie de Nini – pauvre petite Nini, qui, désemparée, reporte son besoin de tendresse sur la gouvernante, qu'elle ne quitte plus.

L'après-midi, si elle ne se recouche pas, Hulda va s'allonger sur un canapé du salon, une couverture sur les genoux. Il faut que Livia lui fasse la lecture. Si la gouvernante objecte qu'elle doit s'occuper des enfants, elle se fâche, dit que les bonnes peuvent le faire, qu'elle a besoin, elle, de plus de soin.

Il arrive aussi qu'elle pleure, refuse l'aide de Livia, lui disant sèchement qu'elle a besoin d'être seule, qu'elle peut disposer, lui parlant comme à une domestique, pour, un moment plus tard, l'appeler et se jeter dans ses bras en lui demandant pardon.

Le courrier venu de Göteborg l'agite toujours ; elle s'emporte contre sa mère, qui ne la comprend pas, assure-t-elle, qui lui fait du mal ; puis elle se désole en pensant à l'âge de sa «pauvre petite maman», à sa mauvaise santé, s'attendrit, déclare de façon théâtrale que, peut-être, elles ne se reverront jamais et se seront quittées sans avoir fait la paix. Si les enfants interviennent, alertés par ses éclats de voix, elle les chasse avec emportement, demande à la gouvernante de les occuper sur-le-champ.

Une lettre de Charles, postée de Norrköping, la jette un jour dans le désespoir. Que pouvait bien lui dire l'avocat de si cruel ? Quelle révélation nouvelle lui faisait-il ?

Alors qu'elles sont seules dans la salle du bas,

Hulda sombrement songeuse, à demi allongée sur le canapé du salon, et Livia assise auprès d'elle, occupée à broder un jeté, la jeune femme s'empare soudain fébrilement des deux mains de la gouvernante, et les pressant entre les siennes, lui pose en français cette question abrupte : « Livia, ma chère, vous ne pourriez pas me cacher quelque chose, n'est-ce pas ? lui demande-t-elle tout en plantant dans ses yeux un regard égaré. Dites, vous ne pourriez pas, vous, vous ne pourriez pas ? »

Interdite, troublée, Livia s'arrache à l'emprise des deux petites mains, à celle de ce regard. Puis, calmement, comme on parlerait à un enfant malade, elle lui dit en suédois : « Calme-toi, ma chérie. Tu es fatiguée. Il y a une chose que tu ne dois jamais oublier : c'est que je suis ton amie, ton amie pour toujours. » Et elle lui caresse doucement le front, un pauvre petit front moite de fièvre et d'angoisse.

Il y a un silence, tout au long duquel elles se regardent, et l'ancienne confiance revient entre elles, la tendresse passant de l'une à l'autre, comme une onde apaisante, plus forte que le doute de l'une, la honte de l'autre.

« Pardonne-moi, murmure Hulda, j'étais folle. C'est leur faute à eux, eux tous… Je sais bien que tu es avec moi, puisque tu es revenue. Il ne peut rien arriver, n'est-ce pas ? Rien d'horrible ?

— Non, ma chérie, rien. À présent, il faut que tu te reposes. »

Et Livia, avec des gestes maternels, arrange la couverture autour du corps de son amie avant de quitter la pièce que, déjà, ombre le soir.

Mais il s'est passé quelque chose de nouveau, comme une peur qui serait entrée tout doucement, et qui, maintenant, est là, invisible et tenace, dans la maison.

Hulda est si souffrante, si agitée que la gouvernante renonce en novembre à se rendre à Montrouge à la date prévue. Quand, enfin, elle y retourne, elle n'a pas vu le bébé depuis deux mois.

La nourrice habite, en bordure de la ville, une petite maison de brique, entourée d'un minuscule jardinet. Le vestibule sombre où pénètre Livia sent le renfermé et l'encaustique. C'est la nourrice elle-même qui lui a ouvert, une grosse femme négligée pour laquelle dès leur première rencontre elle avait éprouvé de l'antipathie. En l'accueillant, elle lui dit d'entrée de jeu que l'enfant a été malade, qu'elle a bien failli le perdre, et que « c'est malheureux qu'on ne dispose pas d'une adresse où prévenir s'il arrivait quelque chose ». Gênée, Livia objecte qu'elle a donné celle de la poste restante de Meudon, où elle passe régulièrement. « Vous pensez comme c'est commode, répond la nourrice ! Encore heureux que vous payez bien, sinon… »

Dans la pièce où l'on fait entrer la jeune femme, deux enfants de trois à quatre ans, assis par terre, en silence, autour d'un jeu de construction, ne bougent pas à l'arrivée de l'étrangère, se contentant de lui jeter des regards curieux. Dans un coin, près de la fenêtre, il y a un petit lit : Georges est là, endormi. « Il a eu une bronchite, explique la nourrice, des quintes terribles, déjà qu'il n'est pas bien costaud ! »

Effrayant, en effet, le petit visage chiffonné, plus maigre semble-t-il qu'avant, plus pâle, mais curieusement plus humain, plus expressif. Le bébé a maintenant cinq mois, calcule Livia, qui n'y avait guère pensé. Elle se penche, le prend dans ses bras. Peut-être un peu plus lourd qu'avant, parce que plus grand, plus consistant, les petites mains moins pitoyables ? À se sentir soulevé, l'enfant ouvre les yeux : toujours ces mêmes grands yeux bleus, mais vides, sans expression. Il ne pleure pas, ne réagit pas au contact de ces bras inconnus, de cette personne qui l'amène à la lumière de la fenêtre pour mieux le voir.

Alors, avec une sorte de crainte, pour voir ce qui se passera, Livia hasarde une caresse sur la vilaine petite joue. Le bébé a un très léger sursaut, comme une crispation de la bouche ; les yeux, un instant, ont l'air de chercher quelque chose, peut-être quelqu'un, puis se referment.

La jeune femme promène ainsi l'enfant dans ses bras à travers la pièce, en le berçant légèrement. Combien de temps, elle ne sait pas. Dans la surprise et la honte de ce qu'elle éprouve, une espèce de joie, sourde, secrète, enténébrée, mais très douce : comment le nier ?

Quand elle s'en va, quand elle remet l'enfant endormi dans son lit, le soir est déjà là. Une odeur de chou bouilli monte de la cuisine. À la femme survenue, Livia dit précipitamment, d'une voix qui lui semble à elle-même bizarre, en lui tendant l'enveloppe contenant l'argent de la pension : « Je reviendrai bientôt, très bientôt.

— Et l'adresse ? Toujours la poste restante, je suppose, marmonne avec ironie la nourrice.

— Pour le moment, oui... » murmure Livia en s'enfuyant.

Elle arrivera tard à Meudon. Hulda et son mari sont déjà à table, et la situation est si inhabituelle, et elle, d'ordinaire si maîtresse d'elle-même, paraît si troublée, qu'ils la regardent avec surprise. Mais aux premiers mots de la gouvernante, invoquant maladroitement un train manqué, Léonard l'interrompt : « Vous n'avez pas à vous excuser, Livia. C'est nous qui empiétons sur votre vie. Nous en sommes parfaitement conscients. »

Nous, a-t-il dit : *leur* regard sur *sa* vie...

Ce fut un Noël sans éclat que ce Noël 1876, un Noël sans grâce, à peine si on savait que c'était Noël. On n'avait rien préparé, les adultes, préoccupés de bien autre chose, n'en parlaient pas, les enfants, hors du monde comme toujours, n'y auraient pas songé, n'étaient les bonnes, qui s'étonnaient, murmuraient, trouvaient que, décidément, dans cette famille, rien n'était comme ailleurs. Non, ici, personne n'attendait les fêtes. Et comme la cuisinière rappelait timidement l'imminence du 24 décembre à la jeune femme, « Encore Noël !... » avait simplement soupiré Hulda avec lassitude. Livia et Léonard pensaient sans doute la même chose sans le dire. Comme si une fatigue sournoise s'était installée au cœur de chacun, une usure du rôle à tenir, une paresse à monter sur scène, le sentiment que la pièce, cette fois, ne se jouerait pas.

Hulda craignait d'accoucher prématurément et ne cessait de répéter à Livia que les choses se passeraient mal, qu'elle le sentait, allant jusqu'à dire sur un ton mélodramatique que «d'ailleurs, cela vaudrait peut-être mieux pour tout le monde». Réflexion que son amie feignait de ne pas entendre.

Le 24, la jeune femme avait refusé de se lever, et n'avait presque pas touché au déjeuner que la gouvernante lui avait monté dans sa chambre. Les bonnes avaient pris congé pour rejoindre leurs famille, même la cuisinière, à qui Livia avait expliqué, la voyant surprise, que cette année, pour Noël, on ne ferait rien, aucune fête, Madame étant trop fatiguée, qu'elle pouvait donc disposer après avoir préparé un repas froid.

Si bien qu'au dîner du soir, comme Hulda avait encore refusé de descendre, Livia et Léonard se retrouvèrent dans la salle à manger seuls avec les enfants, qui, pour Noël, partageaient toujours, d'habitude, la table des adultes.

Étrange et triste repas : les petits eux-mêmes en ont conscience, même si la gouvernante leur a expliqué brièvement la situation, leur disant que, l'année prochaine, tout irait mieux, le nouveau bébé serait né, leur mère rétablie. De même qu'il est inédit et insolite pour les deux adultes de se trouver à table en position de parents avec les quatre enfants : singularité qu'après un bref regard étonné sur l'assemblée Eugène résume d'un mot en s'exclamant : «Ça fait comme si Livia était maman !

— Ne dis pas de sottise ! » l'interrompt froidement son père. Si froidement que chacun en est frappé.

Le dîner se déroule presque en silence, comme une corvée dont il faut s'acquitter. Puis Livia emmène les enfants dire bonsoir à leur mère avant de se coucher, de faire leur prière. Aucune velléité chez aucun d'eux de s'attarder, de demander une histoire, ou de prier qu'on laisse la lumière allumée. Très vite, à l'étage, il n'y a plus aucun bruit, comme si les enfants eux-mêmes avaient conscience que c'était une journée manquée, une journée à oublier.

Leur père est resté à lire devant la cheminée. On entend, venu de l'extérieur, le faible écho de fêtes familiales lointaines. Mais, dans la maison comme abandonnée, il n'y a que le crépitement des flammes de la cheminée et le froissement des pages du journal de Léonard ; puis ce sera le petit pas de la gouvernante qui, après avoir rangé la cuisine et éteint la lumière dans la chambre de Hulda, regagne doucement la sienne, la chambre sous le toit.

Les cadeaux de Noël des enfants, cette année-là, comme pour des enfants de paysans, se réduiront à des oranges et des sucres d'orge, et encore grâce à Livia, qui, la veille, avait vite couru en acheter à l'épicerie-gargote du haut de la voie de chemin de fer : ils les trouveront, au matin, dans leurs souliers.

Irréel, ce Noël, et plus irréelles encore les semaines suivantes. Hulda devrait accoucher en mars, mais prétend qu'elle est malade et ne quitte presque plus sa chambre, en dépit des conseils du médecin, appelé par Léonard, et qu'elle a consenti à regret à recevoir. « Cet incapable, qui a failli laisser mourir Eugène et qui me tuerait volontiers si je le laissais faire », murmure-t-elle à Livia, à peine l'homme sorti de la pièce.

La gouvernante essaye en vain de la raisonner, propose de faire venir un autre médecin, de Paris, ou de Sèvres : elle refuse, affirmant que personne ne comprend son cas, que de toute façon elle doit supporter « ce qui est écrit ». Le pasteur, convoqué par Léonard, n'est pas mieux reçu : il ne fera qu'entrer et sortir, elle ne le supporte pas, il l'ennuie, c'est un sot, et un méchant homme, dit-elle à Livia. Sa religion à elle n'est pas la sienne, elle est bien plus simple, bien plus jolie, c'est celle de l'enfance, des cantiques d'autrefois qu'elle s'essaie à retrouver en chantonnant à mi-voix dans son lit ; ce lit devenu son refuge, envahi d'objets, de livres ouverts et abandonnés, de partitions dont elle dit qu'elle reprendra l'étude dès qu'elle ira mieux, d'ouvrages de couture délaissés en chemin, et du livret à fermoir doré et couverture de maroquin noir, son journal, plus que jamais son confident, auquel elle ne travaille qu'après s'être assurée qu'elle est seule, que la porte est bien fermée, que personne ne viendra la surprendre.

Des visites du monde extérieur en tout cas, il n'y en a vraiment plus. Anders ne se montre pas : la dernière entrevue entre le frère et la sœur s'était terminée par une crise de nerfs de la jeune femme. Charles, depuis son retour en Suède, n'écrit plus : Hulda n'a pas répondu à sa dernière lettre, suffisamment explicite et cruelle pour que sa lecture l'ait bouleversée. Elle n'a pas voulu en dire le contenu à son amie, se contentant de répéter qu'elle était bien malheureuse, que, cette fois, « elle n'avait plus rien sur terre à quoi s'accrocher ».

Quant à Léonard, il n'a jamais été aussi étranger à ce qui se passe à la maison, et peut-être même ailleurs, comme si la réalité était devenue pour lui secondaire. Quand il n'est pas enfermé dans son cabinet de travail, ou parti à son bureau de Paris, il s'absente pour de courts voyages d'une semaine à Bordeaux ou à Nantes. C'est d'ailleurs par ces absences-là que, paradoxale-

ment, il devient pour sa femme une présence singulière, obsédante : son mari est-il arrivé à bon
port ? tout va-t-il bien ? quand rentre-t-il ? Depuis
sa chambre, elle demande sans cesse à Livia de
vérifier s'il y a du courrier, s'il n'est pas arrivé de
télégramme, si l'on n'a pas sonné. Mais, quand il
est de retour, elle le prie de s'installer un lit dans
son bureau, elle est trop fatiguée pour tolérer une
présence à son côté.

Les enfants mènent leur vie entre eux, rési-
gnés à l'idée que le bruit qu'ils font, ou leur
simple présence, la vue de leur agitation, de leur
mauvaise tenue vestimentaire, dérange leur
mère malade, l'inquiète. Il faut la laisser tranquille, ne pas aller la voir, c'est comme ça. Vie
singulière, alors, de la petite fratrie repliée sur
elle-même, isolée du monde, étrangère à l'univers des adultes, mais forte, compacte, immen-
sément riche de son besoin d'aimer. Livia est là,
bien sûr, présente physiquement, active, éner-
gique, mais, ils le sentent, inaccessible. Elle est
ailleurs, Livia, mais où ? Elle ne le sait même
plus elle-même.

Parfois elle pense à son enfant, seul là-bas, dans
la maisonnette de Montrouge. Mais elle n'a pas le
temps de s'absenter, ni peut-être l'envie, ou plutôt
la force, le courage. Celui d'affronter le regard du
petit être qu'elle a fait. De retrouver, avec les
odeurs de cuisine, de pauvreté et d'abandon de
cette maison, le dégoût de sa situation. Alors, elle
se contente d'envoyer l'argent convenu à la nourrice. Et d'attendre, dans un mélange de honte et

d'effroi. À son dernier courrier, après avoir beaucoup hésité, elle a joint son adresse, comme le lui réclamait cette femme, « au cas où », dans son style très personnel.

Et, pour la gouvernante, cette décision signifiait beaucoup.

Non, l'accouchement de Hulda ne sera pas simple. Elle était épuisée, et dans un état d'anxiété tel que personne n'aurait pu la raisonner. Dans ces conditions, on pouvait en effet craindre un accident. Le médecin et la sage-femme, arrivés sur les lieux ce matin de mars, quand elle avait commencé à souffrir – mais c'était une fausse alerte –, finissaient par être inquiets, alors que les choses, selon eux, s'étaient pourtant annoncées normalement. Mais la jeune femme montrait une grande agitation, prophétisant le pire, s'exaltant, pleurant, elle qui avait pourtant mis au monde si aisément ses quatre enfants.

Comme Livia essayait en vain de l'apaiser, elle s'était soudain violemment emportée contre elle, la chassant de son chevet. Puis elle avait commencé à parler toute seule, chantonnant parfois un couplet de ces vieux cantiques, étranges et morbides, où il est question de l'ange de la mort qui plane autour de la maison d'où il doit emporter une âme.

La vie est courte, vide de joie
Vite descend la dernière heure
L'ange de la mort toujours tournoie...

Léonard, inquiet, délaissant son bureau, faisait les cent pas dans la grande pièce du bas. Les enfants, auxquels on avait défendu de faire le moindre bruit, s'étaient installés dans la cuisine avec les bonnes et Livia, qui montait de temps en temps voir si la situation évoluait. Le médecin, appelé ailleurs, était reparti : il y avait selon lui encore longtemps à attendre. La sage-femme, assise dans l'antichambre, tricotait, guettant un appel de sa parturiente, qui divaguait seule et refusait toute présence.

En fait, les vraies douleurs commencèrent dans la nuit, et Livia eut le plus grand mal à retrouver le médecin. Il y avait eu un accident à Bellevue, une voiture versée, des blessés graves. Quand enfin il arriva, vers trois heures, le bébé était né, la sage-femme affolée, car l'accouchement avait été laborieux, la jeune femme avait perdu beaucoup de sang et elle était très faible.

Comme, un moment, elle s'était évanouie, le médecin craignit le pire et interdit qu'on allât la voir avant le lendemain matin. Seul Léonard entra dans la chambre. Sa femme parut ne pas le voir. Quand, quelques minutes après, il ressortit, il était livide, ce qui impressionna beaucoup les bonnes et les enfants qui attendaient sur le palier au milieu des paniers de linge et des brocs d'eau chaude.

L'enfant, que la sage-femme avait baigné et enveloppé de linges blancs avant de le présenter, était une très belle petite fille, parfaitement constituée. On l'a installée dans une autre chambre pour que ses cris ne dérangent pas la jeune accouchée. La gouvernante, chargée de s'occuper du bébé en attendant que sa mère puisse le faire, entrait dans la pièce au moment où Léonard en sortait. « Comment allez-vous l'appeler ? murmure-t-elle au moment où ils se croisent.

— Alice », répond-il simplement avant de s'éloigner.

Dans la chambre éclairée d'une simple lampe à alcool posée sur un guéridon, la lumière indécise fait paraître plus éclatant le berceau blanc, entouré de dentelles, où repose la petite fille nouvellement née. Livia s'approche, regarde, et ce qu'elle voit lui fait mal. Ce visage rose et bien formé, ces mains délicates, lui en évoquent d'autres, lui disent, lui crient l'absence d'un autre enfant, le sien. Que fait-elle là, à veiller sur le sort de ce bébé en dentelles autour duquel toute une maison se mobilise, alors que le sien, là-bas, est tout seul ? Comment n'a-t-elle pas senti plus tôt la honte de cette injustice, par quelle aberration, quelle folie ?

Un instant, rien qu'un instant, elle est prise du désir impulsif, violent de tout laisser là, comme ça, et de s'en aller, de les abandonner tous à leur histoire, eux les gens de la grande maison blanche, de cette maison qu'elle finit par croire maudite, comme dans les légendes qu'autrefois, quand elle était petite, lui racontait sa mère, peuplant pour elle le monde de fantômes et de diableries. Au fond, a-t-elle jamais, en dépit de toute sa raison, cessé d'y croire ?

À ce moment, la petite Alice se met à crier, à hurler, à appeler de toutes ses forces, et d'instinct la gouvernante la soulève, la prend dans ses bras et la berce comme elle avait fait de l'autre enfant, là-bas, quelques semaines plus tôt. Et c'est de l'enfant abandonné qu'elle ressent maintenant la présence et le manque à travers celui qu'elle tient dans ses bras. Or, mystérieusement, ce n'est pas la douleur d'un remords, le déchirement de la honte qu'elle éprouve, mais toute la chaleur d'un appel, la douceur d'une étonnante tendresse.

Comme les choses ont changé. Et comme elle a elle-même changé, entre cette nuit étrange, soudain habitée de grâce, et celle où, à Stockholm, elle avait vu pour la première fois l'enfant né de Léonard et Hulda, et ressenti la morsure d'un si grand trouble.

Jamais, après cette naissance, la vie dans la maison ne sera tout à fait la même. Quelque chose est advenu. Quelque chose qu'on ne saurait définir, mais qui est là, étrangement. Les bonnes le sentent, attentives, inquiètes, guettant on ne sait quel signe. Et les enfants, plus soudés entre eux que jamais, silencieux, secrets, et graves, à la façon d'adultes, comme sachant ou présageant ce qu'ils ne devraient pas savoir.

Les jours passent et Hulda ne se remet pas. Ne se remettra jamais. On le voit, on le devine, on le sait, comme elle le sait elle-même.

De la petite Alice, elle ne s'occupe pas, n'a pas envie de s'occuper; d'ailleurs elle ne peut pas la nourrir comme elle l'avait fait pour les autres enfants : elle n'a pas de lait, on a dû trouver une nourrice. Même voir le bébé, elle n'en a pas le désir, mais au contraire comme un dégoût. À la gouvernante qui se présente un jour dans sa chambre, l'enfant dans les bras, elle dit avec un sourire triste en la voyant entrer : « Ça vous va bien, à vous, Livia, la maternité... » et comme celle-ci, troublée, fait mine de lui remettre l'enfant, elle se dérobe, alléguant un moment de fatigue. Qu'on la laisse, elle a besoin d'être seule.

Quelquefois, elle appelle Livia auprès d'elle, la serre dans ses bras et pleure, le visage caché contre sa poitrine, sans dire un mot. Et comme, un jour, dans ces circonstances, la gouvernante, éperdue, commence une phrase, la jeune femme l'arrête doucement : « Non, ma chérie, ne dites rien. Je sais tant de choses... Ce n'est pas la peine. »

De ces scènes, Livia sort épuisée, brisée, mais surtout épouvantée à l'idée de ce qui peut arriver à tout moment, et que surgissent soudain les mots irréparables, les mots qu'elle ne veut pas entendre.

Il fait très beau, ce printemps. La gouvernante exhorte la jeune femme à se lever, à faire quelques pas dans le jardin avec elle, comme autrefois. « Tu te souviens, lui rappelle-t-elle en suédois, la charmille où nous nous asseyions, cet été où il avait fait tellement chaud ? Où tu écrivais tes lettres ? »

Oui, Hulda se souvient. Mais elle se rappelle surtout les interminables journées de pluie... Elle se tait un moment, et puis : « Qu'est-ce que nous attendions, Livia, tu te souviens ? Tous ces étés ? Que d'attentes, mon Dieu ! La vie était faite d'attente... Mais de quoi, dis-moi ? »

Les voyages de Léonard, ses longues absences,

on dirait qu'ils n'ont plus de sens, qu'elle les a oubliés, qu'ils ne sont qu'anecdotes dans une longue durée d'attente indéterminée, depuis Göteborg, depuis toujours.

Elles sont à peine sorties dans le jardin qu'elle est déjà lasse. Non, elle ne veut pas s'asseoir sous la charmille. Il ne fait pas assez chaud. Elle veut rentrer dans sa chambre, se recoucher.

Les quatre enfants apparaissent, qu'elle embrasse distraitement. Livia remarque combien Louise a changé, combien la tristesse de cette enfant de six ans rend saisissante sa beauté. Quelle façon elle a de regarder sa mère, quelle maturité, quel chagrin dans un simple regard : elles se ressemblent toutes les deux, mais, curieusement, il y a dans l'expression de cette petite fille une gravité sombre que n'a pas le très doux et enfantin visage de la jeune femme. La petite Nini, elle, joues rondes et roses, a pris le parti d'ignorer cette mère qui ne s'occupe plus d'elle, qui ne la regarde plus, qui lui fait un peu peur. Le nez baissé, elle n'a visiblement qu'une envie, celle d'abréger la rencontre et d'aller jouer. Les deux garçons, on les devine eux aussi blessés, atteints par l'apparente désaffection de leur mère, mais ils ont encore beaucoup de tendresse pour elle. Même s'ils ne comprennent pas ce qui arrive. Et ce n'est pas leur père qui pourra le leur expliquer, ce père rigide, inamical, qui à la place de leur maman, se borne, le soir, à leur faire réciter leur prière, un «Notre Père» en français, avec une phrase en plus pour demander à Dieu la santé des

271

leurs, en particulier celle de leur mère, d'un ton très raide, debout devant leurs lits.

Pourtant, Léonard va toujours passer un moment au chevet de Hulda, en général à la fin de la journée, ou tôt le matin s'il part pour Paris. Mais Paris, il s'y rend moins souvent ces derniers temps : fatigue, désintérêt des affaires, inquiétude pour sa femme. Il a beaucoup changé, semble étrangement las ; sans doute voit-il qu'il n'y a pas d'issue à tout cela. Il a vainement demandé à la jeune femme de descendre en tout cas dîner dans la salle à manger, de partager le repas qu'il prend désormais quotidiennement avec les enfants et la gouvernante. Elle refuse. S'il insiste – il est même arrivé qu'il ait des mots durs, qu'il se fâche –, elle pleure. Alors il quitte la pièce sans un mot.

La petite Alice a trois mois et des yeux bleus étonnants. Elle se porte bien. Les bonnes l'aiment beaucoup : c'est la seule personne de la maison qui ne leur pose pas de problème.

Début juin l'état de la jeune mère s'est brusquement aggravé : des poussées de fièvre sans cause apparente alternent avec des phases d'abattement prolongées, plus inquiétantes encore qu'auparavant. Le médecin, rappelé, se dit surpris, suggère d'attendre : la nature, selon lui, finira peut-être par prendre le dessus. Léonard fait venir un médecin de Versailles qui lui est recommandé par un de ses collaborateurs ; on diagnostique une simple langueur postnatale. Mais en l'absence de tout foyer infectieux la fièvre est inexplicable.

Hulda ne se lève plus du tout, refuse de manger, ne veut voir personne, surtout pas les enfants. Son mari et Livia finissent par se relayer à son chevet sans qu'elle proteste, mais elle reste d'une passivité indifférente, comme si elle était trop fatiguée pour manifester quelque sentiment. Parfois, elle s'endort quelques minutes et, lorsqu'elle se réveille, regarde avec surprise celui ou celle qui est auprès d'elle, mais ne dit mot, se contente de l'examiner étrangement. Pourtant, il arrive aussi qu'elle parle, prononce quelques mots incohérents : c'est l'annonce d'une poussée de fièvre qui, bientôt, lui met deux taches roses aux pommettes, singulières dans ce visage blafard.

Un soir que Livia est assise à côté d'elle, elle a justement ces couleurs insolites, inquiétantes. Elle repose immobile, mais son regard mobile va du visage de la gouvernante au fond de la pièce comme cherchant quelque chose derrière elle que sa silhouette lui masquerait. « Dis-moi ce que tu veux, murmure Livia, qui a remarqué son manège, je te l'apporte...

— Rien, j'ai juste cru voir une femme, là, derrière toi... »

Livia se retourne machinalement : « Mais non, il n'y a rien.

— Tu ne peux pas la voir, toi ; mais moi je l'ai vue...

— Mais qui donc ?

— Elle...

— Qui ? »

La jeune femme sourit sans répondre, et détourne son visage sur l'oreiller.

La gouvernante passe une main sur le front de son amie, moite et brûlant.

« Comment te sens-tu ? » demande-t-elle doucement.

Hulda ne répond pas, la regarde, et a une sorte de rire, étrange, égaré.

«A-t-on déjà accroché les draps blancs devant les fenêtres ? demande-t-elle soudain. Tu sais, les draps de la mort, comme autrefois, chez nous... Va voir. Ce doit être beau...

— Tu rêves, ma chérie, tu as la fièvre. Ça va passer. Je vais chercher Léonard.

— Non, pas Léonard, pas maintenant. Plus tard. Toi, tu restes, même si tu n'es pas mon amie. Car tu n'es pas mon amie, n'est-ce pas ?

— Mais Hulda... Que dis-tu là ? Qu'est-ce qui t'arrive ? »

La jeune femme a encore ce ricanement. Puis sans transition :

«Est-ce que maman est déjà là ? C'est long pour venir de Göteborg... Est-ce qu'elle arrive ? Tu entends la voiture ? »

Et sans attendre la réponse :

«Elle sait la vérité, elle... Elle me dira. Elle sait tout, ma mère. »

Livia se lève. Demande si les enfants peuvent venir.

«Non. Plus tard. Ils me fatiguent.

— Même la petite Alice ?

— Surtout pas elle. Ce n'est pas ma fille.

— Comment peux-tu dire une chose pareille ? Hulda, voyons...

— Tu le sais bien, toi, de qui c'est la fille. »

Et elle a de nouveau ce gloussement, ce rire fou qui met en fuite la gouvernante, bouleversée.

À Léonard, Livia dit ce qui arrive, ce début de délire. Il accourt auprès de sa femme. Elle ne le

275

reçoit pas. On envoie chercher le médecin, celui de Meudon : l'autre ne peut venir que le lendemain.

La fièvre a monté, et rien ne semble pouvoir la faire baisser.

Cette fois toute la maison est au courant : Madame va peut-être mourir.

C'est Isidore qui pose la question, sérieux, à la gouvernante. Elle répond qu'elle ne sait pas, qu'il faut prier Dieu. Et elle s'étonne elle-même de ses paroles, elle qui ne s'est jamais chargée de l'éducation religieuse des enfants, c'était bien convenu avec leurs parents. Elle, si étrangère à toute religion, elle a prononcé ces mots-là, *prier Dieu*, parce qu'il y avait devant elle un enfant effrayé, ou peut-être parce qu'elle-même avait peur...

Les petits errent dans la maison, demandent sans cesse quand ils pourront voir leur mère, petite troupe désemparée qu'on retrouve dans le couloir aux abords de la chambre, dans la pièce du bas désertée, dans la cuisine auprès des bonnes qui tiennent conseil. Léonard, enfermé dans son bureau, ne répond pas. Livia, épuisée, le visage tiré, les glace. Elle ne s'occupe d'ailleurs plus que d'Alice, la nouvelle venue qui semble accaparer toute son attention, tous ses soins. Oui, on dirait qu'eux, les petits, n'intéressent plus personne. Peut-être parce qu'ils ne font plus de bruit. Il y a maintenant, pour leur mère, une garde à demeure, une bizarre personne vêtue de blanc amidonné qui les effraie quand, sans même les voir, elle passe près d'eux de son pas élastique.

Dans le jardin déserté, c'est pourtant presque l'été. Les oiseaux s'en donnent déjà à cœur joie. Dans le ciel bleu passent de paisibles petits nuages blancs.

Hulda est morte un matin de juin, à l'aube. Cette nuit-là, elle était seule avec la garde-malade. La veille au soir, elle semblait aller mieux et les enfants étaient allés la voir un moment. Elle avait souri en les regardant tous les quatre interdits au pied de son lit. Mais, comme Léonard, assis auprès d'elle, leur disait d'aller embrasser leur mère, elle l'avait arrêté d'un geste, non, demain, ce sera mieux demain, et les petits avaient quitté la pièce.

C'est elle qui a réclamé qu'on lui amène la petite Alice. Livia est allée la chercher. La jeune femme a silencieusement regardé le bébé dans les bras de la gouvernante. Elle n'a pas eu un mouvement, pas un geste vers l'enfant; puis, elle a demandé qu'on la remporte. À la gouvernante, elle a simplement fait un petit signe las de la main. Ensuite elle a fermé les yeux et n'a plus parlé, comme étrangère à tout. Alors Léonard a embrassé le front de sa femme et a quitté la chambre à son tour.

Au petit matin, c'est la voix glacée de la garde-malade qui a réveillé la maison : c'était fini, Madame venait de mourir. Un cri dans le silence, et puis des portes qui s'ouvrent, des pas précipités, des paroles confuses.

« Elle ne s'est pas vue mourir, ça s'est fait si doucement... » dit la femme en blanc, comme à titre d'excuse, ou de consolation polie, on ne sait.

Léonard, accouru sans cravate, la chemise ouverte, pleure, effondré auprès de sa femme morte dont il tient les mains.

Livia entrevoit la scène depuis le seuil de la chambre et s'enfuit. Ordre est donné aux bonnes de tenir les enfants à l'écart, de ne rien leur dire encore ; leur père s'en chargera.

La famille de Göteborg n'avait pas été avertie de l'aggravation de l'état de Hulda. Il est dès lors impossible qu'ils arrivent à temps pour l'enterrement. Un simple télégramme les informe de ce qui est arrivé.

Il n'y eut bien sûr ni draps blancs aux fenêtres, comme on le faisait jadis en Suède, ni aucune tenture noire estampillée d'une initiale d'argent suspendue devant la porte. Il n'y eut rien de tout cela.

La cérémonie eut lieu dans la plus grande simplicité, et la plus stricte intimité, quelques jours plus tard, au temple de Bellevue : seuls étaient là Léonard, ses quatre enfants, et Livia. Pour la mise en terre, au cimetière, se joignirent au petit groupe les bonnes, les deux jeunes filles et la cuisinière, qui tenaient à rendre hommage à celle qu'ils appelaient Madame.

Léonard Sèzeneau, droit, mais le visage ravagé, était très digne dans son frac noir cravaté de blanc.

Les enfants ne pleuraient pas. Ils étaient là, ensemble, immobiles, vêtus de sombre et sérieux, dans l'incompréhension d'une si prompte violence.

Quant à Livia, un peu à l'écart et voilée de noir, elle avait quelque chose de l'ange de la mort de l'ancienne chanson.

Dans la maison que vient de quitter celle qui devait en être le cœur, il n'y a plus rien. Que son absence. Le silence. L'ombre de la mort. Morte la chambre des enfants. Plus morte encore la chambre de Hulda, la chambre de la morte, où personne n'ose entrer, dont les volets sont fermés, les rideaux tirés. Morte aussi la grande pièce du bas où, jadis, on se réunissait, on parlait, on riait, mais où maintenant on se tait, où personne ne songe plus à allumer de feu, et encore moins à ouvrir le piano.

Au retour du cimetière, confuse est l'image de ce qui se passe pour les uns et les autres : Léonard, retiré dans son bureau, visiblement désireux de rester seul, ou les enfants désemparés, que Livia entraîne voir la petite Alice, laissée à la garde de la nourrice pendant leur absence. Et là, quelle étrangeté, ces enfants en noir rassemblés en silence autour du berceau blanc, de la petite fille rieuse indifférente au drame de la maison. La gouvernante la prend dans ses bras, admire une fois de plus les yeux bleus, le mignon visage, qu'elle montre aux enfants. Elle met le bébé dans les bras de Louise, qui le regarde un instant, et sans un sourire le rend à Livia : « C'est à cause d'elle que maman est morte, murmure-t-elle.

— Ce n'est pas vrai. Ta maman était malade depuis longtemps, mais on ne le savait pas.

— Maman n'était pas malade, intervient Isidore. Elle était juste triste. D'être ici, dans cet affreux pays, comme nous, d'ailleurs, mais plus que nous. »

Surprise par la dureté de son regard, Livia regarde le petit garçon : « Je ne sais pas, Isidore. Mais c'est vrai que la tristesse peut devenir une maladie… En tout cas, le bébé Alice n'y est pour rien, et elle a comme vous perdu sa mère. Elle a besoin de vous. » Et à travers les mots qu'elle s'entend prononcer, dont elle voit le reflet sur le visage des quatre petits, elle éprouve elle-même singulièrement la cohésion de ces enfants-là, de cette fratrie, elle sent de façon presque doulou-reuse la force qu'ils représentent autour du bébé, tous les cinq, dans la profondeur de leur unité. Alors qu'elle, la gouvernante, n'est et ne sera jamais qu'une étrangère. C'était Hulda qui la liait à eux. Sans elle, elle n'appartient à personne et personne ne lui appartient. Sinon le petit être venu d'elle qui l'attend, là-bas, à Montrouge.

Ce même soir aura lieu entre la gouvernante et Léonard une étrange entrevue. Après le dîner qu'elle a pris seule avec les enfants dans la salle à manger, après les avoir tous mis au lit, leur avoir fait dire la prière à laquelle ils sont habitués, elle ose aller frapper à la porte de son bureau.

Quand il vient lui ouvrir, elle voit tout de suite qu'il a pleuré. Négligé, étrangement vieilli, c'est un homme bien différent de celui qu'il cherche d'habitude à paraître. Un instant elle reste sur le seuil, impressionnée, touchée par cette simplicité nouvelle, l'humilité qui lui permet de se montrer tel, sans masque, dans la vérité de son chagrin. Mais déjà il lui ouvre les bras, la serre contre lui, de toutes ses forces. Non plus comme un amant, mais comme un ami. Non plus pour la dominer, mais au contraire trouver refuge auprès d'elle. Non plus comme un adulte, mais presque comme un enfant.

Et tandis qu'ils sont là, enlacés, dans l'émotion de se retrouver ainsi, semblables et différents de ce qu'ils étaient, elle, si bouleversée qu'elle soit, ne pleure pas : sait-elle seulement encore ce que sont les larmes, à vivre ainsi depuis des mois comme à côté d'elle-même, étrangère à tout désir, à tout espoir personnel ?

Lui, perdu en lui-même, ne la voit pas. Elle le regarde et elle aime chacune de ses rides, chaque trace de son vieillissement, chaque preuve de l'humanité qu'il cachait derrière un personnage.

Quand, enfin, il parle, c'est pour lui murmurer très bas, d'une voix à peine reconnaissable : « Merci. Merci tellement d'être là. » Et on ne sait pas s'il veut parler de sa présence auprès des enfants, ou de la démarche qui l'a poussée, ce soir, à venir le trouver. Elle est sans voix, quand il ajoute en la serrant si obscurément contre lui qu'elle ne voit plus son visage : « Pardon. Pardon pour tout. » Mais a-t-elle bien entendu ? Est-ce bien ces mots-là qu'il a prononcés, le corps vibrant d'émotion ? Elle sourit et, avec tendresse, se dégage de ses bras.

Ils sont assis maintenant sur le petit lit qu'il occupe depuis le début de la maladie de Hulda, côte à côte, très proches, mais aussi innocemment que des enfants, et se taisent.

« Je suis venue vous dire, articule enfin Livia avec peine, qu'il faut que je parte. Je ne peux pas rester ici. »

Saisi, il se tait un moment avant de pouvoir lui demander :

« Mais pas maintenant, Livia, pas tout de suite ? »

Et on le sent tellement désarmé qu'elle voudrait le rassurer, promettre plus qu'elle ne peut. Elle lui dit simplement qu'elle attendra pour partir qu'il ait trouvé une autre gouvernante. De toute façon, lui-même et les enfants resteront-ils ici, dans cette maison ? Elle pense que ce ne serait pas possible, trop cruel pour tous.

Il se tait à nouveau. Et elle comprend son silence. Ils se sont toujours compris sans beaucoup parler.

C'est elle qui reprend, très doucement, comme si elle avait peur de faire mal : « Votre famille de

Mayenne avait proposé, m'avez-vous dit un jour…» Mais, gagnée par l'émotion de ce souvenir, elle hésite à poursuivre… «Les enfants, ainsi entourés, et avec vous, seraient en sécurité…

— Oui, je sais, dit-il sobrement.

— Mais, alors, votre travail? Les voyages en Suède, en Finlande?»

Il lève une épaule avec lassitude:

«Bah! C'est fini tout ça. Je n'ai presque plus rien à faire là-bas… Ni ailleurs… Un coin perdu de campagne, à l'autre bout de la France, ça nous suffira, à moi et aux filles… Les garçons, eux, seront mis en pension.»

Livia se tait, oppressée, dans le chagrin de ce qu'elle imagine, le trouble de la demande voilée qu'elle croit entendre.

À ce moment, on entend un petit grattement à la porte, comme d'un chat qui voudrait entrer. Livia se lève vivement, va ouvrir, et c'est la petite Eugénie qui est là, en chemise de nuit, tout effarée.

«Mon Dieu, Nini, que t'arrive-t-il? s'écrie-t-elle en prenant la petite fille dans ses bras. Mais tu es glacée! Et tu as descendu l'escalier comme ça, toute seule dans le noir!

— J'avais peur… Il y avait des drôles de bruits… Et tu n'étais pas dans ta chambre…»

Machinalement, la petite dans les bras, Livia s'est rassise à côté de Léonard, qui caresse le front de l'enfant. Et, dans ce mouvement, sa main effleure le bras de la jeune femme. Alors, elle, le souvenir lui vient, dans la violence de sa douceur, de sa première rencontre avec cet homme, de ce premier contact fortuit, furtif, intense, dans la chambre d'enfants de Stockholm.

« Je vais remettre la petite dans son lit », dit-elle en se levant brusquement, tandis que l'enfant déjà presque rendormie se love autour de son cou.

Léonard va jusqu'à la porte avec elle et, continuant leur conversation interrompue :

« Mais vous, Livia, après, qu'allez-vous faire ? »

Sans répondre, la gouvernante lui sourit et referme doucement la porte derrière elle.

ÉPILOGUE

Au cimetière, enfant, j'avais toujours froid. Comme un malaise qui me faisait doucement frissonner : le silence alentour, la solitude, toutes ces croix. Ma mère, debout devant la tombe des nôtres, se recueillait, soudain absente, étrangère : elle m'avait oubliée. Dans cet abandon, de curieuses idées me venaient. Je pensais à ceux qui étaient sous la pierre, dans la terre, surtout l'hiver. Images inquiétantes, mais abstraites en quelque sorte, puisque, de ces morts – mon arrière-grand-père, mon arrière-grand-mère, mes grands-oncles et tantes, ma grand-mère maternelle – je n'en avais connu aucun. Ma mère guère davantage, hors sa propre mère. C'était à elle que nous allions porter des fleurs, deux ou trois fois par an, dans ce cimetière lointain, sur les hauts de Meudon : une expédition, depuis Paris, du moins me semblait-il ; il fallait prendre le métro, puis un train de banlieue depuis la gare Montparnasse. Ce jour-là, ma mère se décidait brusquement, mue par des raisons qui m'échappaient : «On va à Meudon, ma chérie», disait-elle, et c'était tout. Au départ, prendre le train, puis traverser ce qui était alors un village, acheter des fleurs, cela avait un air de fête. Mais sitôt franchie la haute porte, flanquée de deux colonnes que surmontaient de funèbres oiseaux de pierre, la joie s'éteignait avec le bruit de la vie, et c'était comme une chape de silence qui s'abattait sur nous, nous enveloppait, nous privant de parole.

La tombe familiale – une large pierre grise et moussue, ceinte d'une grille de fer forgé envahie de lierre – se trouvait dans une allée latérale, à quelques mètres à droite en entrant. On la remarquait de loin à la folie de végétation de l'étroit jardinet qui entourait la pierre surmontée d'une croix. On y lisait le nom de Sèzeneau qui était celui de la famille de ma mère. La concession remontait à 1877, elle avait été ouverte par mon arrière-grand-père pour sa femme, Hulda, une Suédoise, me dit maman, morte toute jeune, à vingt-sept ans, trois mois après la naissance de son cinquième enfant. Cette histoire l'avait touchée. Mais, au fond, tous ces défunts, sauf sa propre mère qu'elle avait adorée, lui étaient assez indifférents, semble-t-il, puisqu'elle ne les avait, elle non plus, jamais rencontrés, jamais vus que sur des photos. Elle avait d'autres soucis, ma mère : son mari, ses enfants, moi et mon petit frère encore bébé. Les morts ne l'intéressaient pas vraiment. Aussi la visite au cimetière était-elle rapide. Elle coupait un peu le lierre envahissant, arrangeait les fleurs qu'elle venait d'apporter, faisait une dernière courte prière, et nous repartions, silencieuses, dans le crissement sourd des graviers de l'allée. Un moment encore, le long de la rue du village, nous parlions à voix basse. Mais dès la gare, et dans le train qui nous ramenait à Paris, avec le fracas ambiant, la rumeur des conversations, le timbre retrouvé de nos propres voix, la vie revenait : nous bavardions presque gaiement, comme soulagées d'un poids indéfinissable. Le passage au cimetière semblait oublié.

Pourtant, il m'en restait chaque fois une impression singulière, comme une ombre dont je n'aurais pas voulu parler, un trouble bizarre. Une question, peut-être, que j'aurais oublié de poser ; une idée que je n'aurais pas osé exprimer. Une sorte de remords d'on ne sait quoi : peut-être d'avoir laissé derrière moi, derrière la porte du cimetière, ces pierres solitaires refermées sur l'obscur.

À la vérité – j'avais quoi ? six ans, puis sept –, il se passait dans ma vie d'enfant tant de choses que le mystère du cimetière était éclipsé par des réalités plus présentes. Mes parents divorçaient, maman allait mal, je faisais des débuts angoissés à l'école. Non, ces gens du cimetière, ces lointains personnages couchés sous la terre, dont le nom, Sèzeneau, gravé en grands caractères sur la pierre, n'était pas même le mien, puisque je portais celui de mon père, Bergvist – ce drôle de nom –, je n'avais pas le goût de songer à eux.

Cela changea quand, au départ de mon père, vint s'installer chez nous, pour aider maman, une vieille tante, sœur cadette de sa mère. C'était la dernière-née de la jeune morte de vingt-sept ans dont j'avais entendu parler, et la seule survivante de la fratrie. Elle se nommait Alice et avait, quand je l'ai connue, une soixantaine d'années, ce qui pour moi était un âge très avancé. Mais ses yeux étaient bleus, sa voix douce. Ancienne institutrice, célibataire, elle était ce qu'on appelait autrefois une vieille fille. C'est par elle que j'ai commencé à en savoir davantage sur « ceux de Meudon ».

Conteuse-née, elle aimait parler de son enfance, des siens, de leur histoire. Son père, Léonard Sèzeneau, nobliau de la Mayenne, était allé s'installer en Suède, avait épousé une jeune Suédoise, cette Hulda, mais, quelques années plus tard, était revenu en France, avec sa famille, à Meudon précisément où sa femme était morte après la naissance de la petite Alice. Celle-ci n'avait donc connu ni sa mère, ni la Suède. Mais auprès de ses quatre frères et sœurs, nés et ayant passé leur enfance à Stockholm, elle avait appris le suédois et reçu une éducation plus suédoise que française. Ces années-là, tante Alice y était très attachée : elle se plaisait à me lire des contes de là-bas qu'elle traduisait au fur et à mesure en français – s'arrêtant parfois pour proférer à voix haute la phrase suédoise –, ce qui ajoutait un charme étrange à sa lecture, tout comme les gravures désuètes de ces vieux livres. Elle aimait aussi me raconter mille anecdotes relatives à sa fratrie, à son père, à ce qu'elle avait su de sa mère, et me montrer, collées dans de gros albums, ou posées sur sa table de nuit dans des cadres d'argent, les photos des siens : celle de son père, un grand homme austère et imposant, cheveux et moustache blancs, droit comme un I, le regard dur. Ou celle de sa mère, la Suédoise, visage de porcelaine sous une mousse de cheveux blonds relevés en chignon, et celles de ses frères et sœurs à des âges divers dont je connaissais à présent les prénoms, Isidore, Eugène, Louise, Eugénie, tous habillés à la mode d'alors. La matière même des photos, cartonnées, couleur sépia, était d'un autre temps. Tout cela m'amusait assez ; mais, préoccupée de mes propres soucis, souvent j'écoutais mal. D'ailleurs, la vieille dame ressassait un peu, et je croyais connaître ses histoires par cœur. Quand, un jour, il se passa quelque chose d'insolite.

Il y a des histoires étranges dans les familles. Des secrets, des choses inavouables, inavouées, quelquefois terribles, sur lesquelles les adultes se taisent, comme si le silence pouvait étouffer la réalité, et, qui sait, la faire disparaître. Mais il arrive que, malgré tout, des mots s'échappent, parviennent aux oreilles des enfants distraits, et même à demi, ils les entendent. Un jour, ces mots prennent sens, et une histoire singulière se dessine.

Pour moi, il n'aura fallu qu'un nom prononcé par inadvertance.

Tante Alice, une fois de plus, allait me raconter un de ses souvenirs d'enfance : « Ce soir-là, commençait-elle de sa plus belle voix, ma sœur Louise ne devait pas dîner avec les autres : Livia l'avait punie... »

Je dressai l'oreille : Livia ? Jamais encore la tante n'avait parlé d'une Livia, jamais prononcé ce joli nom.

« C'était qui, Livia ? ai-je demandé non sans brusquerie.

— Livia ? Livia... Mais, c'était la gouvernante suédoise. »

Elle avait répondu sèchement, comme contrariée d'avoir été interrompue. Ou bien fâchée par autre chose ? Elle ne disait plus rien.

J'ai voulu savoir ce que c'était, une gouvernante. Je n'en avais qu'une faible idée.

Alice m'expliqua, posément, comme elle faisait toujours d'habitude, mais peut-être alors pour gagner du temps, qu'il s'agissait d'une personne engagée dans les familles bourgeoises pour seconder la mère dans l'éducation des enfants. La tante aimait bien rappeler le faste disparu de sa famille. Ça aussi, pour moi très consciente de la modestie de la nôtre, faisait partie des contes qu'elle nous lisait. Mais elle tint à préciser son explication : « Chez nous, avec tous ces enfants d'âges rapprochés, c'était bien nécessaire. Notre mère était de santé si délicate ! Il y avait aussi deux bonnes, la maison était grande, à Stockholm, et, plus tard, à Meudon... »

J'ai demandé si Livia était une sorte de bonne.

«Non. Pas exactement. (Et la tante a toussé un peu en mettant la main devant sa bouche.) C'était une jeune femme instruite. De bonne famille d'ailleurs. Elle ne s'occupait que de l'éducation des enfants.

— Elle était suédoise ou française?

— Suédoise, je t'ai dit. Mais elle parlait français. Très bien...»

Il y a eu un nouveau silence. J'ai tout de même voulu savoir si, de cette Livia, elle avait une photo: elle avait tant de photos de ce temps-là, de tous les membres de la famille.

«Mais non, pourquoi? a vivement répondu la vieille dame, non, je n'ai aucune photo d'elle. Pourquoi en aurais-je? Elle ne faisait pas partie de la famille.»

La conversation tournait court.

Pourtant j'ai encore demandé si elle était jolie, Livia, car pour moi, avec un tel prénom, il fallait qu'elle fût belle.

«Oui, me répondit Alice, comme à regret. Elle avait un beau visage, mais dur. Elle était sévère, et parfois injuste.»

Puis, changeant de ton, la tante m'interrogea sur ma journée d'école. Du coup, elle avait bizarrement oublié l'anecdote qu'elle s'apprêtait à raconter.

Ce jour-là, je n'ai plus posé de questions. Mais j'ai commencé d'aimer Livia.

Est-ce le lendemain, ou seulement quelques

jours plus tard, que je suis revenue à la charge, et presque par hasard?

J'étais depuis peu très intéressée par les noms de famille des uns et des autres. Le mien m'embarrassait, ce nom de Bergvist, si étrange avec toutes ses consonnes, qu'à l'école la maîtresse n'arrivait pas à prononcer et qui faisait rire mes camarades. «Le nom de ton père est d'origine suédoise», m'avait simplement dit maman, et je m'étais contentée de l'explication.

Tante Alice corrigeait mon cahier d'écriture, l'œil soucieux, quand je lui ai demandé tout à trac quel était le patronyme de Livia.

«Livia? Eh bien, Bergvist, a-t-elle fait simplement avant d'avoir eu le temps d'être surprise.

— Comme moi?» me suis-je écriée, ébahie.

Alice haussa les épaules et me dit qu'en Suède Bergvist est un nom très répandu, aussi commun que Dumont ou Duval en France. Elle me rendit mon cahier, sortit son mouchoir, s'en effleura le nez sans aucunement se moucher, et quitta la pièce.

Visiblement, quelque chose n'allait pas.

Mais, cette fois, c'est ma mère que j'interrogeai. Elle fut étonnée que tante Alice eût seulement prononcé le nom de Livia. «Vois-tu, ma chérie, l'histoire de Livia, c'est un secret...

— Pas pour toi? demandai-je vivement.

— Oh! moi, tu sais, tous ces gens sont morts...» et elle eut un petit rire.

Puis elle m'expliqua doucement que la gouvernante, cette Livia, entretenait une liaison avec le maître de maison, le père d'Alice. Et qu'elle en avait même eu, en secret, un enfant. «On pense, d'ailleurs, ajouta ma mère, que c'est de chagrin, en découvrant la vérité, que la pauvre Hulda, la mère d'Alice et de ma mère, serait morte. C'est pour ça qu'il ne faut pas parler de Livia devant Alice…»

J'écoutais, subjuguée.

«Mais il y a plus étonnant, reprit maman : c'est que cet enfant de la gouvernante, figure-toi… Ah ! je t'en raconte des choses ! Mais tu es grande, après tout, tu dois savoir : cet enfant de la gouvernante suédoise, c'est ton grand-père, Georges Bergvist. Il porte le nom de sa mère non mariée, vois-tu… Et c'est son fils que j'ai épousé, celui qui allait être ton père… C'est pour cela que tu t'appelles Bergvist ! »

Elle me raconta très vite qu'un jour, des années plus tard, ce Georges Bergvist avait voulu faire la connaissance de sa demi-sœur, Eugénie, qu'il s'était présenté chez elle avec son fils de vingt ans, qu'elle-même avait une fille du même âge et que…

Elle s'arrêta, un peu émue, puis continua :

«Tu peux penser que ce mariage était très mal vu par les deux familles, avec une telle histoire, et, en plus de cela, si tu m'as bien comprise, ton père et moi nous sommes cousins : nous avons le même grand-père, Léonard Sèzeneau… Mais nous étions, alors, si amoureux. Peut-être avaient-ils tous raison de vouloir nous séparer, à voir comment les choses ont tourné ! Mon Dieu, ma chérie, ni ton papa ni ton grand-père n'aimeraient que je t'aie raconté tout ça... C'est comme tante Alice : ils ont honte de ce qui s'est passé autrefois, même s'ils n'y sont pour rien... »

Georges Bergvist, ce grand-père que je n'avais vu qu'une fois, qui avait, paraît-il, hautement désapprouvé le mariage de mes parents, et qui, après leur divorce, avait en effet rompu toute relation avec nous.

Tout s'éclairait : j'étais donc deux fois l'arrière-petite-fille de Léonard Sèzeneau et j'avais pour arrière-grand-mères à la fois Hulda sa femme et Livia sa maîtresse.

Cette révélation, qui s'ouvrait pour moi en autant de fleurs bizarres, m'était donnée au milieu de mes chagrins d'enfant, un peu comme un rêve, une parenthèse opportune. Un refuge. J'aimais les histoires. Je me souviens surtout du plaisir que j'avais à imaginer ce personnage mystérieux de la gouvernante suédoise dont il ne fallait pas parler, cette Livia, coupable et mal aimée, dont il n'y avait pas de photo dans la famille Sèzeneau, et au sujet de laquelle mon père, que j'avais fini par interroger en dépit des conseils de maman, s'était montré plus que réticent. « Ne t'occupe pas de ça, m'avait-il dit avec brusquerie. Ce sont des affaires de grandes personnes. »

Je ne suis en effet jamais revenue avec lui sur le sujet.

Puis j'ai fini par un peu oublier. Oublier les récits de tante Alice, oublier le charme dérangeant de la petite troupe de ces enfants suédois, oublier le mystère de Livia. J'étais si occupée à grandir, à vivre à mon tour.

Le temps s'emballe entre la fin de l'enfance et l'âge adulte...

Bien des années plus tard, de passage à Paris, je suis allée au cimetière : comment décrire la désolation de cette pierre tombale qui disparaissait sous les ronces, le nom Sèzeneau à demi recouvert de mousse, à peine lisible ? la grille rouillée, par endroits cassée, menaçant de s'écrouler, la croix tombée... M'est alors revenue l'ancienne histoire, dans sa violence, son étrangeté, ce que je lui prêtais de beauté. J'ai eu honte de tant d'abandon : je devais, en tout cas, m'occuper de cette tombe.

Mais ce n'est qu'après la mort de mon frère, puis celle de ma mère très peu de temps après – Alice, très âgée, était décédée des années auparavant –, que ce cimetière, où ils avaient rejoint les anciens morts, m'est vraiment devenu proche.

Tout naturellement, j'ai alors fait inscrire sur la tombe, à côté du nom de SÈZENEAU, celui de BERGVIST, qui est celui que maman avait porté un temps, qui est celui de mon frère, qui est le mien. Et j'étais heureuse de voir les deux noms réunis sur la pierre : j'avais le sentiment que c'était Livia, mon arrière-grand-mère, que je faisais enfin entrer dans la famille, par un juste retour des choses.

Effet de la solitude, du repli sur soi qui suit la

mort des proches ? Voilà que ce cimetière qui, enfant, m'inquiétait tant, me procurait une sorte de réconfort. Comme à présent j'habitais Paris, j'aimais aller à Meudon m'occuper des fleurs, penser à ceux qui étaient sous la pierre, non seulement ceux que j'avais aimés, mais les autres aussi, ceux que j'avais longtemps feint d'ignorer, et qui reposaient là, avec eux. Curieusement, il me semblait que leur présence adoucissait le chagrin des morts récentes. De les savoir ensemble avait quelque chose d'apaisant, scellant leur appartenance à une même histoire : la nôtre, la mienne. Leur existence, à ces prétendus inconnus, dont je savais beaucoup et peu à la fois, m'apparaissait soudain toute proche, et leur personne, à chacun, étrangement réelle et comme amicale.

Bientôt se levait, avec le souvenir des récits de tante Alice, tout un passé semé d'ombres et de silences. Comme j'aurais voulu faire parler la vieille dame mieux que je ne l'avais fait autrefois, éclairer cette histoire dont je ne connaissais que des bribes, et la conclusion : ma propre naissance. Une tendresse me venait pour ces personnages aperçus, une curiosité pour ce qu'ils avaient vraiment été. Et l'envie de comprendre une histoire dont j'étais, par chacun de mes gènes, l'héritière.

La mort de ma mère m'avait mise en possession d'une masse de photos que j'ai commencé à examiner avec une curiosité et une affection chaque jour grandissantes. À travers ces photos, ces documents, c'était une part de mon enfance qui m'était rendue avec le souvenir des récits entendus alors, mais aussi quelque chose de plus secret, de plus lointain, de plus mystérieux.

Elles sont là, ces photos, devant moi : amas disparate et crissant d'où s'exhale un léger et singulier parfum d'autrefois, photos d'adultes, photos d'enfants, ou, parfois, d'une maison, d'une rue où l'on a vécu...

Il y a beaucoup de portraits de Hulda, la jeune épouse de Léonard : l'un d'eux, je le reconnais, figurait, dans un cadre noir, au mur de la chambre de tante Alice, sans doute celui de sa mère qu'elle préférait.

Ce sont ses yeux qui m'ont parlé d'abord, qui m'ont effrayée par leur clarté douce, leur profondeur aveugle : les yeux d'une femme qui regarde sans voir, fixant au-delà de vous quelque chose d'invisible. Je la regarde et elle ne me voit pas, perdue dans on ne sait quel rêve. Étrangère. Et puis il y a ce sourire silencieux, réticent, fermé sur des pensées qu'elle ne peut dire, qu'elle doit taire.

Le visage est joli, mystérieux plus encore que triste. C'est un visage muet, éteint, comme déjà mort quelque part.

Sur cette photo, datée de 1869, elle a environ dix-neuf ans. On ne voit d'elle que le buste, serré sous le corsage ajusté et sombre par un corset roide, étouffant des formes invisibles. Tout est boutonné, sanglé ; même le cou qu'enserrent les ruchés d'un col de dentelle. Ce corps, on ne sait ce qu'il dit, ce qu'il éprouve : on y lit le même silence éloquent que dans le regard, le sourire. Mais c'est peut-être cela qui le rend émouvant : comme un appel sans paroles.

Dans ce visage, dans la raideur de ce corps, il y a quelque chose d'effrayé. Mais aussi d'enfantin, qui apparaît malgré la rigueur du vêtement, dans la mousse de cheveux blonds que la coiffure de l'époque – chignon serré derrière la tête – peine à maintenir, comme dans la douceur de l'ovale du visage, la clarté du teint qui contraste avec l'engoncement du corsage, la sévérité du minuscule médaillon attaché au cou par un ruban noir.

Je voudrais voir les mains, mais la photo ne les montre pas. J'imagine des mains de petite fille, désarmées, et, à l'annulaire gauche, l'alliance qui atteste son mariage avec Léonard Sèzeneau, deux ans plus tôt, à dix-sept ans.

Lui, Léonard, dont il y a aussi de nombreuses photos, produit une impression bien différente. La photo que je regarde, celle aussi que montrait de préférence tante Alice, est celle d'un homme de cinquante ans, déjà marqué par l'âge, mais portant beau. Elle est datée de 1876, l'année précédant la mort de sa femme.

Il est grand, se tient très droit, raidi dans la pose altière qu'adoptaient souvent les hommes devant le photographe, un bras derrière le dos, l'autre appuyé du poing sur une table. Il a les cheveux blancs, très courts, une moustache blanche, fournie, mais taillée avec soin, des sourcils épais sous lesquels perce un regard dur, autoritaire. Pas l'ombre d'un sourire, ni sur les lèvres, ni dans le regard. La mise est austère, mais élégante, costume sombre, gilet boutonné, cravate grise, nouée de façon stricte, col cassé blanc, impeccable. Il y a incontestablement en cet homme quelque chose d'aristocratique – l'apparence de ce qu'on appelait autrefois « un Monsieur ».

Mais, dans son regard, dans son maintien, je ne lis rien, je ne vois rien, qu'une sorte de défi secret, d'arrogance triste : oui, il y a de la tristesse derrière cette affectation de force et de dignité. Lui aussi cache quelque chose, lui aussi est plein de paroles non dites.

En tout cas, il fait peur, tant sa personne exprime d'autorité et de force face à la fragilité et à la douceur de sa femme.

Curieux couple... Ils se sont mariés en 1868, lui, Français arrivé en Suède trois ans plus tôt, avait quarante ans, elle dix-sept. Elle sortait à peine d'une pension pour jeunes filles de bonne famille des environs de Göteborg, grande ville commerçante, où son père dirigeait une banque.

Que faisait là Léonard ? En 1867, si l'on en croit l'administration suédoise, il était recensé comme professeur de français, sans qu'on sache vraiment ce qu'il faut entendre par là. Quelles études avait-il faites ? de quel diplôme pouvait-il se prévaloir, on ne sait.

Parmi les photos, j'en trouve une qui le montre justement à l'époque de sa rencontre avec Hulda.

C'est un élégant quadragénaire, très mince, le cheveu sombre, le regard amusé, la pose désinvolte, écartant négligemment d'une main le revers de sa veste pour laisser voir la chaîne de montre sur le gilet ; la coupe de la jaquette est bonne, mais le pantalon a quelque chose de fripé. Non, il ne paraît pas ses quarante ans, il a la silhouette svelte, la mine audacieuse et un demi-sourire plein de charme. C'est à n'en pas douter un séducteur.

En parallèle, voici une photo de Hulda en uniforme de pensionnaire, accompagnée d'une dizaine de ses camarades, assises comme elle sur les marches du pensionnat. Au dos de la photo est écrit : «À Postilled, 1865». Les jeunes filles portent toutes la même robe à crinoline en taffetas écossais, boutonnée jusqu'au menton. La plupart ont les cheveux serrés dans une résille à rubans noirs. Elles semblent avoir une quinzaine d'années, un peu plus ? Mais ce sont des gamines... On est amusé, ici et là, par la pose coquette du petit pied qui dépasse de la jupe en corolle, découvrant un peu de bas blanc. Toutes ont la mine timide d'enfants installées devant le photographe pour une photo officielle, mais avec le désir naïf de paraître à leur avantage. Cependant on distingue mal les visages sur cette photo au grain passé, ce qui donne à l'ensemble un léger caractère onirique.

Sur une autre photo, sans doute prise à la maison, Hulda, au même âge, porte une robe étriquée et sombre. Elle a la coiffure pauvre, le visage ingrat. Elle se tient debout, un peu voûtée, jette de côté un regard craintif, ne sait que faire de ses pieds : c'est une enfant sans charme, bien différente de la jeune femme triste mais intéressante qu'elle deviendra après son mariage.

Si les photos des époux Sèzeneau sont nombreuses, celles de leurs enfants, curieusement, le sont moins. Il y en a une de chacun des deux garçons à l'âge de cinq ou six ans, Isidore et Eugène, souriants dans leurs costumes marin ; et une de l'aînée des filles, Louise, une ravissante petite fille, qui semble, ici, avoir deux ou trois ans. Elle est photographiée dans les bras de sa mère, qui la serre avec amour, son visage contre le sien. Une seule photo aussi d'Eugénie – née juste avant le départ de la famille pour la France –, et aucune de la petite Alice, née, elle, à Meudon. Pas de photos postérieures des enfants. Je suppose qu'alors, la maman étant morte, personne ne se préoccupait plus de photographier les enfants.

Je ne trouve d'images de la fratrie que beaucoup plus tardives, représentant de jeunes adultes. Un des fils est saint-cyrien, les filles portent de longues robes blanches et des coiffures sages. Rien entre-temps, aucune photo. Comme si ces enfants-là n'avaient plus été regardés. Comme si on ne s'était plus soucié de leur apparence.

Se glissent aussi parmi les portraits une photo très jaunie du port de Göteborg, et une autre d'une rue de Stockholm. Et celle d'une grande maison blanche, à Meudon.

C'est tout.

Quant à Livia, comme attendu, aucune photo.
Rien.

Mais, accompagnant les photos, quelques
lettres, quelques papiers administratifs, des titres
dévalués de l'emprunt russe, l'acte notarial de
l'achat de la concession à perpétuité de la tombe
de Meudon, il y a un petit livret de maroquin noir
dont la serrure a été visiblement fracturée. À
l'intérieur, une soixantaine de pages, couvertes
d'une fine écriture à la plume, élégante et soignée, en suédois. Les dernières pages ont été
arrachées, laissant à la couture un bourrelet irré-
gulier, sans doute de la même main qui a brisé la
fragile ferrure dorée. C'est le journal de Hulda,
daté de 1875 et 1876, à Meudon.

Et quand je l'ai découverte, cette petite écriture, elle a eu pour moi quelque chose d'immédiatement bouleversant : c'était la vie même que
j'avais sous les yeux, dans son mystère et la brutalité de son interruption.

J'ai fait traduire le texte de Hulda. Il y est dit
bien des choses, mais on y lit aussi de curieuses
réticences. Il y est fait allusion à Livia, incomplè-
tement, mais assez pour m'intéresser et m'intriguer : ce sera le seul témoignage que j'aurai au
sujet de la gouvernante. Tous ceux que j'aurais
pu interroger sont morts : mon grand-père Bergvist, mon père, ses frères. Il n'y a plus personne.

Ce que disaient les pages arrachées, je ne le
saurai jamais. Jamais je ne saurai la véritable his-

toire de ces trois êtres qui me touchent de si près, Léonard, Hulda et Livia, même circonscrite à la dizaine d'années – de 1867 à 1877 – où se sont noués leurs sorts. Les faits, dans leur banalité, je les connais : ce n'est pas le plus intéressant. Ce que je voudrais comprendre, c'est la manière dont tout cela est arrivé, pénétrer ce mystérieux tégument de hasards, de désirs et de rêves dont se font nos vies et dont on sent le frémissement à travers ces photos et les pages de ce journal.

C'est ainsi qu'est né le projet un peu fou d'écrire un livre qui ne saurait être qu'un roman, et qui, loin de prétendre à l'exactitude factuelle, tenterait de retrouver au plus près la vérité des personnes, en suivant autant que possible les grandes lignes de leurs destins croisés. Entreprise périlleuse, d'autant qu'au cœur de tout cela il y a le secret d'une absente, celle dont je ne sais justement presque rien, mais à laquelle était allé, un jour, mon obscur amour d'enfant : la gouvernante suédoise.

Pourtant cette histoire il me faut la raconter, parce qu'elle m'appartient, ou plutôt parce que, d'étrange façon, j'ai le sentiment *d'être* cette histoire.

REMERCIEMENTS

Je remercie mes éditeurs Arléa, Catherine Guillebaud, Anne Bourguignon, Claude Pinganaud, pour leur confiance, leur exigence et leur amitié.

Merci aussi aux recherches administratives d'un neveu suédois de Hulda aujourd'hui disparu, Övl. K., de Göteberg ;

à l'Opéra royal de Stockholm pour sa documentation ;

aux films d'Ingmar Bergman, en particulier *Fanny et Alexandre* ;

à Auguste Strindberg pour *Le Plaidoyer d'un fou* et pour *Le Fils de la servante* ;

aux romanciers et peintres français du XIXᵉ siècle, en particulier Degas, Manet et Caillebotte ;

aux Archives de la ville de Meudon.

Enfin merci aux amis fidèles qui ont eu la gentillesse de me lire les premiers et de m'encourager.

DU MÊME AUTEUR

Aux Éditions Arléa

LE PÈRE DE LA PETITE, 2005 (Arléa-Poche n° 129, 2008). Prix Librecourt.

LA FEMME DE L'ALLEMAND, 2007 (Le Livre de Poche, 2009). Grand Prix des lectrices de *Elle* et prix du *Télégramme*.

JEUX CROISÉS, 2008 (Le Livre de Poche, 2010).

ÉCLATS D'ENFANCE, 2009 (Arléa-Poche n° 203, 2014).

PLAGE, 2010 (Arléa-Poche n° 181, 2011).

UN LÉGER DÉPLACEMENT, 2012 (Arléa-Poche n° 190, 2013). Prix des Bibliothèques pour tous et prix Exbrayat.

UN JOUR PAR LA FORÊT, 2013 (Arléa-Poche n° 221, 2015).

LA MAISON-GUERRE, 2015.

LA GOUVERNANTE SUÉDOISE, 2016 (Folio n° 649, 2018). Prix Bretagne.

VOUS N'AVEZ PAS VU VIOLETTE ?, 2017.

COLLECTION FOLIO

Dernières parutions

6457. Philippe Sollers — *Mouvement*
6458. Karine Tuil — *L'insouciance*
6459. Simone de Beauvoir — *L'âge de discrétion*
6460. Charles Dickens — *À lire au crépuscule et autres histoires de fantômes*
6461. Antoine Bello — *Ada*
6462. Caterina Bonvicini — *Le pays que j'aime*
6463. Stefan Brijs — *Courrier des tranchées*
6464. Tracy Chevalier — *À l'orée du verger*
6465. Jean-Baptiste Del Amo — *Règne animal*
6466. Benoît Duteurtre — *Livre pour adultes*
6467. Claire Gallois — *Et si tu n'existais pas*
6468. Martha Gellhorn — *Mes saisons en enfer*
6469. Cédric Gras — *Anthracite*
6470. Rebecca Lighieri — *Les garçons de l'été*
6471. Marie NDiaye — *La Cheffe, roman d'une cuisinière*
6472. Jaroslav Hašek — *Les aventures du brave soldat Švejk*
6473. Morten A. Strøksnes — *L'art de pêcher un requin géant à bord d'un canot pneumatique*
6474. Aristote — *Est-ce tout naturellement qu'on devient heureux ?*
6475. Jonathan Swift — *Résolutions pour quand je vieillirai et autres pensées sur divers sujets*
6476. Yājñavalkya — *Âme et corps*
6477. Anonyme — *Livre de la Sagesse*
6478. Maurice Blanchot — *Mai 68, révolution par l'idée*
6479. Collectif — *Commémorer Mai 68 ?*

6480. Bruno Le Maire — *À nos enfants*
6481. Nathacha Appanah — *Tropique de la violence*
6482. Erri De Luca — *Le plus et le moins*
6483. Laurent Demoulin — *Robinson*
6484. Jean-Paul Didierlaurent — *Macadam*
6485. Witold Gombrowicz — *Kronos*
6486. Jonathan Coe — *Numéro 11*
6487. Ernest Hemingway — *Le vieil homme et la mer*
6488. Joseph Kessel — *Première Guerre mondiale*
6489. Gilles Leroy — *Dans les westerns*
6490. Arto Paasilinna — *Le dentier du maréchal, madame Volotinen et autres curiosités*
6491. Marie Sizun — *La gouvernante suédoise*
6492. Leïla Slimani — *Chanson douce*
6493. Jean-Jacques Rousseau — *Lettres sur la botanique*
6494. Giovanni Verga — *La Louve et autres récits de Sicile*
6495. Raymond Chandler — *Déniche la fille*
6496. Jack London — *Une femme de cran et autres nouvelles*
6497. Vassilis Alexakis — *La clarinette*
6498. Christian Bobin — *Noireclaire*
6499. Jessie Burton — *Les filles au lion*
6500. John Green — *La face cachée de Margo*
6501. Douglas Coupland — *Toutes les familles sont psychotiques*
6502. Elitza Gueorguieva — *Les cosmonautes ne font que passer*
6503. Susan Minot — *Trente filles*
6504. Pierre-Etienne Musson — *Un si joli mois d'août*
6505. Amos Oz — *Judas*
6506. Jean-François Roseau — *La chute d'Icare*
6507. Jean-Marie Rouart — *Une jeunesse perdue*
6508. Nina Yargekov — *Double nationalité*
6509. Fawzia Zouari — *Le corps de ma mère*
6510. Virginia Woolf — *Orlando*

6511. François Bégaudeau — *Molécules*
6512. Élisa Shua Dusapin — *Hiver à Sokcho*
6513. Hubert Haddad — *Corps désirable*
6514. Nathan Hill — *Les fantômes du vieux pays*
6515. Marcus Malte — *Le garçon*
6516. Yasmina Reza — *Babylone*
6517. Jón Kalman Stefánsson — *À la mesure de l'univers*
6518. Fabienne Thomas — *L'enfant roman*
6519. Aurélien Bellanger — *Le Grand Paris*
6520. Raphaël Haroche — *Retourner à la mer*
6521. Angela Huth — *La vie rêvée de Virginia Fly*
6522. Marco Magini — *Comme si j'étais seul*
6523. Akira Mizubayashi — *Un amour de Mille-Ans*
6524. Valérie Mréjen — *Troisième Personne*
6525. Pascal Quignard — *Les Larmes*
6526. Jean-Christophe Rufin — *Le tour du monde du roi Zibeline*
6527. Zeruya Shalev — *Douleur*
6528. Michel Déon — *Un citron de Limone* suivi d'*Oublie...*
6529. Pierre Raufast — *La baleine thébaïde*
6530. François Garde — *Petit éloge de l'outre-mer*
6531. Didier Pourquery — *Petit éloge du jazz*
6532. Patti Smith — *« Rien que des gamins ». Extraits de Just Kids*
6533. Anthony Trollope — *Le Directeur*
6534. Laura Alcoba — *La danse de l'araignée*
6535. Pierric Bailly — *L'homme des bois*
6536. Michel Canesi et Jamil Rahmani — *Alger sans Mozart*
6537. Philippe Djian — *Marlène*
6538. Nicolas Fargues et Iegor Gran — *Écrire à l'élastique*
6539. Stéphanie Kalfon — *Les parapluies d'Erik Satie*
6540. Vénus Khoury-Ghata — *L'adieu à la femme rouge*
6541. Philippe Labro — *Ma mère, cette inconnue*
6542. Hisham Matar — *La terre qui les sépare*
6543. Ludovic Roubaudi — *Camille et Merveille*
6544. Elena Ferrante — *L'amie prodigieuse (série tv)*

6545. Philippe Sollers — *Beauté*

6546. Barack Obama — *Discours choisis*

6547. René Descartes — *Correspondance avec Élisabeth de Bohême et Christine de Suède*

6548. Dante — *Je cherchais ma consolation sur la terre...*

6549. Olympe de Gouges — *Lettre au peuple et autres textes*

6550. Saint François de Sales — *De la modestie et autres entretiens spirituels*

6551. Tchouang-tseu — *Joie suprême et autres textes*

6552. Sawako Ariyoshi — *Les dames de Kimoto*

6553. Salim Bachi — *Dieu, Allah, moi et les autres*

6554. Italo Calvino — *La route de San Giovanni*

6555. Italo Calvino — *Leçons américaines*

6556. Denis Diderot — *Histoire de Mme de La Pommeraye précédé de l'essai Sur les femmes.*

6557. Amandine Dhée — *La femme brouillon*

6558. Pierre Jourde — *Winter is coming*

6559. Philippe Le Guillou — *Novembre*

6560. François Mitterrand — *Lettres à Anne. 1962-1995. Choix*

6561. Pénélope Bagieu — *Culottées Livre I – Partie 1. Des femmes qui ne font que ce qu'elles veulent*

6562. Pénélope Bagieu — *Culottées Livre I – Partie 2. Des femmes qui ne font que ce qu'elles veulent*

6563. Jean Giono — *Refus d'obéissance*

6564. Ivan Tourguéniev — *Les Eaux tranquilles*

6565. Victor Hugo — *William Shakespeare*

6566. Collectif — *Déclaration universelle des droits de l'homme*

6567. Collectif — *Bonne année ! 10 réveillons littéraires*

6568. Pierre Adrian — *Des âmes simples*

6569. Muriel Barbery — *La vie des elfes*

6570. Camille Laurens — *La petite danseuse de quatorze ans*

6571. Erri De Luca — *La nature exposée*

6572. Elena Ferrante — *L'enfant perdue. L'amie prodigieuse IV*

6573. René Frégni — *Les vivants au prix des morts*

6574. Karl Ove Knausgaard — *Aux confins du monde. Mon combat IV*

6575. Nina Leger — *Mise en pièces*

6576. Christophe Ono-dit-Biot — *Croire au merveilleux*

6577. Graham Swift — *Le dimanche des mères*

6578. Sophie Van der Linden — *De terre et de mer*

6579. Honoré de Balzac — *La Vendetta*

6580. Antoine Bello — *Manikin 100*

6581. Ian McEwan — *Mon roman pourpre aux pages parfumées* et autres nouvelles

6582. Irène Némirovsky — *Film parlé*

6583. Jean-Baptiste Andrea — *Ma reine*

6584. Mikhaïl Boulgakov — *Le Maître et Marguerite*

6585. Georges Bernanos — *Sous le soleil de Satan*

6586. Stefan Zweig — *Nouvelle du jeu d'échecs*

6587. Fédor Dostoïevski — *Le Joueur*

6588. Alexandre Pouchkine — *La Dame de pique*

6589. Edgar Allan Poe — *Le Joueur d'échecs de Maelzel*

6590. Jules Barbey d'Aurevilly — *Le Dessous de cartes d'une partie de whist*

6592. Antoine Bello — *L'homme qui s'envola*

6593. François-Henri Désérable — *Un certain M. Piekielny*

6594. Dario Franceschini — *Ailleurs*

6595. Pascal Quignard — *Dans ce jardin qu'on aimait*

6596. Meir Shalev — *Un fusil, une vache, un arbre et une femme*

6597. Sylvain Tesson — *Sur les chemins noirs*

6598. Frédéric Verger — *Les rêveuses*

6599. John Edgar Wideman — *Écrire pour sauver une vie. Le dossier Louis Till*

6600. John Edgar Wideman — *La trilogie de Homewood*

Composition : IGS-CP à L'Isle-d'Espagnac (16)
Achevé d'imprimer par Novoprint,
à Barcelone, le 28 mars 2019
Dépôt légal : mars 2019
1er dépôt légal dans la collection : avril 2018

ISBN 978-2-07-272330-8./Imprimé en Espagne.

357292